Chère lectrice,

Envie de séduire ? Oui, mais comment ? Gageons que, ce mois-ci encore, les héroïnes de Rouge Passion seront autant de sources d'inspiration pour vous.

Prenez Olivia, par exemple. Pour elle, la séduction est *Un insolent cache-cache* (1213). Elle s'y livre lors d'un bal costumé — sous le masque, on peut tout se permettre, n'est-ce pas ? Hannah fait preuve de moins d'audace mais de plus de romantisme : elle regarde, de loin, *Un étranger de passage* chez elle. Comment attirer son attention ? Pour trouver des réponses, elle laisse s'éveiller de nouveau la femme en elle, doucement (1214). Franchement nostalgique, Jessy n'a jamais cessé d'aimer Shane, l'ami de son frère aîné, qui ne voyait en elle qu'une gamine. Mais maintenant que tous deux sont adultes, elle décide d'utiliser des armes de femme, d'essayer, d'oser... Parce qu'elle a *Un avenir à conquérir* (1218) et veut que ce soit avec lui.

Trois femmes, trois façons de s'y prendre, trois manières d'aimer... à découvrir dans vos romans. Sans oublier *Un heureux événement* (1215), un roman signé « Un bébé sur les bras », *Du bonheur en cadeau* (1217), et un détour par le « 20, Amber Street » pour une *Affaire de cœur* (1216).

Bonne lecture.

La Responsable de collection

Affaire de cœur

ANNE MARIE WINSTON

Affaire de cœur

COLLECTION ROUGE PASSION

*Cet ouvrage a été publié en langue anglaise
sous le titre :*
RISQUÉ BUSINESS

Traduction française de
SOPHIE PERTUS

HARLEQUIN®

est une marque déposée du Groupe Harlequin
et Rouge Passion® est une marque déposée d'Harlequin S.A.

Originally published by Silhouette Books,
division of Harlequin Enterprises Ltd.
Toronto, Canada

Photo de couverture :
© WERNER BOKELBERG / GETTY IMAGES

Toute représentation ou reproduction, par quelque procédé que ce soit, constituerait une contrefaçon sanctionnée par les articles 425 et suivants du Code pénal.
© 2001, Harlequin Books S.A. © 2003, Traduction française : Harlequin S.A.
83-85, boulevard Vincent-Auriol, 75013 PARIS — Tél. : 01 42 16 63 63
Service Lectrices — Tél. : 01 45 82 47 47
ISBN 2-280-11982-X — ISSN 0993-443X

1.

Sylvie Bennett referma la porte de l'appartement 3A du 20,
Amber Street. Elle descendit le grand escalier de marbre. En
arrivant au rez-de-chaussée, elle vit par les panneaux vitrés
qui encadraient la porte d'entrée qu'il neigeait sur sa ville
natale de Youngsville. Elle ralentit le pas.

Zut ! songea-t-elle, excédée. Une tempête de neige. Il ne
manquait plus que cela. D'ordinaire, elle aimait mieux se
rendre à pied à son travail que prendre le bus. Mais, ce matin,
elle voulait se montrer impeccable et très professionnelle.
Pas question, donc, d'arriver les joues rougies et les cheveux
ébouriffés par le vent.

Sa belle humeur coutumière baissa de quelques degrés
supplémentaires quand elle se rappela ce qui l'attendait
aujourd'hui. Ce soir, elle rentrerait sans doute en traînant
les pieds, sans emploi.

— Bonjour, Sylvie !

La morosité de Sylvie s'envola dès qu'elle vit la propriétaire du petit immeuble, Rose Carson. Elle était sortie de son
appartement du rez-de-chaussée vêtue d'une robe de chambre de flanelle aussi jolie que douillette. Comme toujours,
elle avait l'air si gentille et accessible que Sylvie eut envie
de la serrer dans ses bras. Si elle s'était laissée aller à rêver
d'avoir une mère — ce qu'elle ne se permettait plus depuis

des années —, elle n'aurait pu en imaginer de meilleure que Rose. Leur amitié lui était donc extrêmement précieuse.

— Bonjour, Rose, répondit-elle en finissant de descendre. Comment allez-vous ?

— Merveilleusement, répondit celle-ci. Je sens qu'il va arriver quelque chose de formidable, aujourd'hui !

Sylvie sourit avec une certaine amertume.

— Si seulement vous pouviez dire vrai…

Elle posa son manteau sur la rampe de l'escalier pour enrouler sa longue écharpe de laine autour de son cou.

— Quel joli tailleur, ma chérie ! s'exclama Rose en lissant le revers de la veste. Cela dit, ne le prends pas mal, mais je crois que tu as besoin de quelque chose qui se remarque pour le mettre en valeur.

— Sans doute, concéda Sylvie, mais, comme vous savez, je ne possède pas tellement de beaux bijoux.

— Honte à toi ! repartit Rose malicieusement. Quand je pense que tu travailles chez un grand joaillier !

Le regard pétillant, elle leva une main pour faire signe à Sylvie d'attendre un instant.

— J'ai exactement ce qu'il te faut, expliqua-t-elle.

— Rose, vous n'avez pas à…

Mais sa propriétaire était rentrée chez elle sans la laisser finir sa phrase. Elle revint presque aussitôt.

— Voilà, dit-elle en lui tendant une superbe broche.

Il s'agissait d'un cœur stylisé, fait de trois ors, de topaze et d'ambre.

— Mais je ne peux pas… Oh ! Elle est magnifique ! s'écria Sylvie. Extraordinaire. Où l'avez-vous trouvée ? Qui l'a faite ?

— Un designer que j'ai connu autrefois, répondit Rose sans plus de précision, avant d'épingler la broche au revers de la veste de Sylvie. C'est exactement ce qu'il te faut aujourd'hui.

— Elle a bien trop de valeur…

— Elle ne fait que prendre la poussière dans ma boîte à bijoux, coupa Rose. Là. Voyons ce que ça donne.

Elle prit Sylvie par les épaules et la fit pivoter face au miroir qui surmontait une petite console de marbre.

— Elle est absolument parfaite…, commenta Sylvie en passant délicatement le doigt sur la broche.

Elle avait besoin de tout le soutien possible pour avoir confiance en elle, aujourd'hui. Alors elle allait peut-être bien emprunter la broche de Rose. Rien qu'une fois…

— C'est entendu, accepta-t-elle en souriant et en plantant un baiser sonore sur la joue de son amie. Vous avez gagné, je vais la porter.

— Formidable ! s'écria Rose en joignant les mains, visiblement ravie. Et maintenant, tu ferais mieux de filer, ma chérie. Je sais que tu aimes arriver tôt au bureau, et je crois que le sol va être un peu glissant, si j'en juge par ce que je vois par la fenêtre.

Sylvie hocha la tête tout en finissant d'enrouler son écharpe autour de son cou, puis elle enfila son long manteau d'hiver et mit sa capuche.

— Souhaitez-moi bonne chance, demanda-t-elle à Rose. J'ai une réunion très importante, aujourd'hui.

Ce n'était pas tout à fait un mensonge, après tout. Qu'importait qu'elle n'eût pas été conviée à cette réunion ?

— Bonne chance, dit Rose en croisant les doigts des deux mains. Avec cette broche, je peux pratiquement te garantir que tout se passera bien.

Sylvie, qui bataillait pour ouvrir la porte que le vent menaçait de refermer, ne prêta pas attention à cette dernière remarque.

— Merci encore, Rose, dit-elle avant de sortir. A ce soir.

Un bruissement surpris salua son entrée, mais elle ne s'en rendit même pas compte. Toute son attention était concentrée sur l'homme qui, au bout de la table, se levait lentement.

Une boule de trac nouait l'estomac de Sylvie qui n'avait jamais fait preuve de tant d'audace, mais il fallait bien que quelqu'un se dévoue.

Elle s'attacha à ne pas quitter des yeux Marcus Grey, le crétin immoral qui s'efforçait de faire couler Colette. Et, à mesure qu'elle s'approchait de lui et que son regard plongeait dans le sien, une sensation toute différente, troublante, l'envahissait. Seigneur ! Il ne ressemblait pas du tout aux photos de lui qu'elle avait pu voir dans les journaux. Et encore moins à l'image d'ogre que, peu à peu, elle s'était faite de lui.

En fait d'ogre, il avait plutôt les traits d'un prince, songea-t-elle en proie à une vive attirance purement physique. Son visage rasé de près, aux traits d'une force presque agressive, était éclairé par un superbe sourire qui révélait des dents très blanches parfaitement rangées. Son teint hâlé et sa chevelure fauve faisaient ressortir l'émeraude de ses yeux. Son nez aquilin surplombait une bouche aux lèvres fermes et au dessin idéal. Une bouche qui, pour l'heure, s'incurvait en un sourire légèrement moqueur que Sylvie jugea totalement déplacé.

Il continuait de la regarder dans les yeux. Eh bien, elle ne céderait pas non plus. Les hommes d'affaires étaient comme les chiens. Le premier qui détournait le regard donnait l'avantage à son adversaire. Alors elle le fixerait jusqu'à l'aveuglement plutôt que de s'avouer vaincue. Cependant, cette façon qu'il avait de la dévorer de son regard étincelant était si déstabilisante qu'elle dut finalement lâcher prise. Par chance, songea-t-elle, ils n'étaient pas des chiens. Car elle ne reconnaîtrait jamais Marcus Grey comme chef de meute.

10

— Dans la mesure où je n'ai encore rien proposé, je ne vois pas ce qu'il y a d'immoral à assister à une réunion du conseil d'administration d'une entreprise dont je suis l'actionnaire majoritaire, observa Grey d'un ton calme et égal.

Malgré son sourire, que l'œil critique de Sylvie jugeait d'ailleurs plein de suffisance, chaque mot claquait comme une gifle.

— Je sais tout de vos projets, affirma-t-elle en s'arrêtant devant lui pour pointer un doigt accusateur. Tout le monde, chez Colette, est au courant. Mais nous formons une famille, monsieur Grey, ajouta-t-elle solennelle. Une famille que nous ne vous laisserons pas détruire.

Il haussa les sourcils d'un air surpris. Sans rien dire, très lentement, il l'examina de la tête aux pieds, non sans s'attarder un long moment sur sa poitrine. La colère s'empara de Sylvie qui dut se retenir d'assener un coup de genou à certaine partie de son anatomie pour lui faire passer l'envie de déshabiller les femmes du regard. Dans le même temps, elle avait l'impression que des flammes couraient sur sa peau partout où les yeux de Marcus Grey s'étaient posés. Elle sentait son cœur battre à grands coups désordonnés et avait toutes les peines du monde à conserver une respiration normale. « Sa conduite devrait t'offenser, et non te troubler », se morigéna-t-elle.

Quand il replongea les yeux dans les siens, il souriait encore plus ostensiblement.

— Vous me prenez au dépourvu, mademoiselle… ?

— Bennett, ajouta Sylvie qui s'en voulait de laisser cet homme lui tourner la tête juste à cause de sa beauté exceptionnelle. Je suis directrice adjointe du marketing.

— Mademoiselle Bennett, répéta-t-il. Quels sont donc les ignobles projets qu'on m'accuse de fomenter pour détruire cette entreprise ?

— Puisque vous avez été assigné en justice pour vous empêcher de liquider les avoirs de Colette, je ne pense pas qu'il soit
utile de vous donner un récapitulatif de vos intentions.

— Je vous rappelle que le procès n'a pas eu lieu, fit-il valoir
avec douceur. Faute de preuves.

Il inclina la tête sur le côté et l'étudia un long moment tandis
qu'elle cherchait quoi répondre. Puis, à la grande surprise de
Sylvie, il s'approcha d'elle et lui prit le bras.

— Venez avec moi, mademoiselle Bennett.

— Pardon ?

Elle fit semblant de croire qu'elle l'autorisait à la raccompa-
gner, mais les doigts qui enserraient son bras lui faisaient l'effet
d'une menotte. Et bien entendu, si elle avait essayé de rester
sur place, il aurait eu la force de la traîner derrière lui.

En approchant de la porte, une chose étonnante attira
l'attention de Sylvie. Rose se tenait debout à côté du buffet,
les mains sagement croisées sur le devant de son tailleur bleu
marine. Rose… ? Elle n'en revenait pas.

Le cœur de Sylvie se serra quand elle vit passer un serveur
en chemise blanche et pantalon bleu marine. Pantalon bleu
marine… tailleur bleu marine… Rose portait un uniforme !
Seigneur ! Mais, si sa situation était si difficile qu'elle avait été
contrainte de prendre un autre emploi, pourquoi n'avait-elle
pas commencé par augmenter les loyers ?

Rétrospectivement, Sylvie se sentit coupable de la joie
qu'elle avait éprouvée quand elle s'était vu proposer ce bel
appartement et qu'elle s'était rendu compte qu'il était dans
ses petits moyens. Il faudrait qu'elle parle au plus vite aux
autres locataires. A cinquante-six ans, Rose n'était certes pas
vieille, mais elle devait trouver ce travail plutôt pénible. Pour

financer ses études universitaires, Sylvie avait été serveuse, alors elle était bien placée pour savoir que c'était dur.

Ils étaient arrivés à la porte de bois massif de la salle de réunion que Grey ouvrit. Il la laissa passer et la suivit dans le couloir.

A peine se fut-il arrêté qu'elle dégagea son bras et se tourna face à lui. De nouveau, elle se concentra sur son objectif.

— Vous ne vous débarrasserez pas de moi aussi facilement, le prévint-elle. Nous tous qui aimons Colette ne vous regarderons pas démanteler notre entreprise les bras ballants.

Il ne souriait plus. Son air de détermination implacable fit presque hésiter Sylvie.

— Désormais, déclara-t-il, je suis actionnaire majoritaire. Je peux faire ce que je veux de cette entreprise et vous n'avez pas le pouvoir de m'en empêcher.

— Nous vous assignerons de nouveau en justice.

Sylvie se rendit compte qu'elle s'était mise à jouer machinalement avec la belle broche d'ambre que Rose lui avait prêtée ce matin. Elle se força à rester tranquille.

— Une contrariété dont j'aurai vite fait de me débarrasser.

Apparemment, la perspective d'un autre procès ne lui faisait pas plus d'effet qu'une mouche venant troubler un pique-nique.

Sylvie trouva sa réaction quelque peu déstabilisante mais n'en laissa rien paraître. Elle décida de changer de tactique.

— Que pourrais-je vous offrir, monsieur Grey, pour vous faire renoncer à votre projet ?

De nouveau, il eut l'air surpris, mais son regard brillait comme celui d'un chat devant sa proie.

— S'agit-il d'une offre personnelle ou professionnelle, mademoiselle Bennett ?

Elle sentit le rouge lui monter aux joues tandis qu'une image très peu professionnelle d'elle dans les bras de Marcus Grey lui venait.

— Uniquement professionnelle, je vous l'assure. Chez Colette, tout le monde est aussi attaché que moi à l'entreprise.

Il la considéra en silence un long moment.

— Quel est votre prénom ? finit-il par demander.

— Je… Comment ?

— Quel est votre prénom, mademoiselle Bennett ? répéta-t-il en esquissant un sourire.

— Sylvie. Pourquoi ?

— Parce que je voulais pouvoir mettre un prénom sur une aussi ravissante jeune femme.

Elle rougit encore et s'en voulut du plaisir que lui procurait ce compliment.

— Appelez-moi Marcus, la pria-t-il sans tenir compte de son accès d'humeur. Sylvie, je voudrais vous proposer un marché.

— Lequel ? s'enquit-elle, soupçonneuse.

— Dînons. Tous les deux. Ce soir. En échange, je vous promets de ne prendre aucune mesure négative pour Colette, aujourd'hui.

Ce fut au tour de Sylvie de se montrer surprise.

— Pourquoi donc voudriez-vous dîner avec moi ?

— Parce que vous êtes attirante et que votre style me plaît. Et aussi parce que vous m'intriguez. Qu'est-ce qui peut faire qu'une employée soit aussi attachée à une entreprise dans laquelle elle n'a rien investi ? Une femme ambitieuse et intelligente comme vous ne devrait pas avoir de mal à retrouver du travail — et sans doute un meilleur poste.

14

— Comment savez-vous si je suis ambitieuse ? répliqua-t-elle. Si ça se trouve, mon poste ici me suffit tout à fait.

— Je parie que non. Les ambitieux se reconnaissent entre eux, Sylvie. Alors, votre réponse ?

— Qu'arrivera-t-il si je refuse ?

— Je croyais que vous vouliez faire ce qu'il y avait de mieux pour Colette.

Echec et mat. Le salaud. Sylvie réfléchit un instant. Que risquait-elle ? Au moins, en acceptant ce dîner, même si elle ne parvenait pas à faire renoncer Marcus Grey à fermer l'entreprise, elle permettrait à Colette de gagner un peu de temps pour tenter une autre action en justice. Et puis ce n'était pas comme s'il était totalement répugnant. Si seulement il n'était pas l'homme que... Enfin, qu'il était. De toute façon, une joute verbale avec lui ne lui déplairait pas.

— J'imagine que je n'ai pas vraiment le choix. J'ai votre parole que vous ne prendrez aucune mesure aujourd'hui ?

Il leva la main droite, mais avec un sourire moqueur.

— Parole d'honneur, déclara-t-il.

— Mouais..., dit Sylvie en tournant les talons pour s'éloigner. Pour ce qu'elle vaut... Un homme d'honneur n'envisagerait pas de mettre plus de cent personnes au chômage.

— Qui a parlé de mettre des gens au chômage ?

— Ce n'est pas ce que vous avez l'intention de faire ?

Elle se retourna vers lui et le fixa d'un air de défi.

— Je cherche à faire des bénéfices, contra-t-il avec pour la première fois une note d'irritation dans la voix.

— Sans tenir compte des conséquences humaines, s'écria-t-elle en s'apprêtant à regagner son bureau.

— Mademoiselle Bennett...

Il avait prononcé son nom d'un ton calme et, pourtant, elle n'envisagea pas un instant de l'ignorer. Elle se retourna encore une fois et le regarda dans les yeux.

— J'en sais bien plus long sur les conséquences humaines des micmacs des affaires que vous ne pourriez l'imaginer. Et je tiens toujours compte du personnel dans mes décisions.

Elle connecta son ordinateur à Internet et lança une recherche. Si elle devait sortir dîner avec Marcus Grey ce soir, elle voulait en savoir le plus possible sur lui avant, et surtout sur l'événement qui avait pu motiver cette remarque sibylline.

Le soir, en montant dans son coupé Mercedes, Marcus songea à la sortie de Sylvie Bennett, à son pas décidé dans le couloir, à la façon dont sa courte jupe plissée couleur d'automne ondulait autour de ses longues jambes bien galbées.

Il s'était toujours demandé comment il se faisait que tant d'hommes se laissent gouverner par leur libido. Aucune des nombreuses relations qu'il avait eues avec des femmes ne lui avait jamais fait perdre son contrôle de soi. Jamais ses sentiments n'avaient pris le pas sur sa raison. Bref, s'il avait souvent retiré beaucoup de plaisir de ses liaisons passionnées avec le beau sexe, son cerveau n'avait jamais cessé de fonctionner normalement.

Jusqu'à aujourd'hui. Savait-elle combien elle était belle avec ses grands yeux noirs de gitane et ses lèvres pleines qui semblaient faites pour être embrassées ? Il avait eu du mal à se concentrer sur ce qu'elle disait tant il était fasciné par la façon dont sa délicieuse bouche formait chaque syllabe, par sa poitrine qui remplissait sa veste juste comme il fallait, par la danse de ses cheveux soyeux autour de son visage animé quand elle parlait.

Si quelqu'un d'autre s'était permis de faire irruption dans la salle de réunion pour le haranguer comme cela, Marcus

16

n'en aurait fait qu'une bouchée. Mais, quand Sylvie s'était approchée de lui, il avait été incapable de faire autre chose que la contempler. Il avait sombré dans son regard brun sans même chercher à se retenir. Savait-elle combien son tailleur de soie qui épousait si parfaitement les courbes de son corps était sexy ? Il avait même entendu bruisser ses bas quand elle s'était approchée de lui. Un murmure si excitant qu'il en était resté sans voix.

Et puis elle s'était détournée de lui et c'était comme si un charme avait été rompu. En l'écoutant, il avait cessé de se demander comment faire pour la mettre dans son lit au plus vite. Sa voix rauque trahissait une hostilité à peine dissimulée.

Que disait-on de lui, chez Colette ? En tout cas, ces ragots avaient dû être le catalyseur du procès ridicule que le conseil d'administration lui avait intenté — conseil d'administration qui avait d'ailleurs été débouté.

D'accord, il avait bien l'intention d'absorber la joaillerie Colette pour la fermer, mais il ne comptait pas mettre tous les employés à la porte. Un certain dégraissage serait certes nécessaire puisqu'il ne tolérait ni les incompétents ni les poids morts, mais, pour la plupart, les employés de Colette deviendraient les employés des Entreprises Grey. C'était exactement ce qu'il avait dit au conseil d'administration quand il avait regagné la salle de réunion après son aparté avec Sylvie Bennett. Du moment qu'ils avaient du travail, peu importait quelle entreprise les employait, non ?

La réunion du conseil d'administration… Il revoyait l'air à la fois stupéfait et soulagé des membres quand ils avaient compris qu'il n'entreprendrait pas immédiatement le processus de démantèlement de Colette. A l'évidence, ils ne comprenaient pas ce qui l'avait poussé à le retarder.

D'ailleurs, lui-même ne le comprenait pas vraiment.

Depuis que, adulte, il s'était rendu compte qu'il avait les moyens financiers de venger l'honneur de son père qui avait fini par s'autodétruire à cause de Colette, Marcus éprouvait un certain plaisir à l'idée qu'il allait pouvoir enfin assouvir son désir de revanche. Un plaisir qui, pour la première fois, se trouvait nettement atténué. Car Sylvie Bennett avait réussi à donner un visage humain à l'entreprise, une perspective qu'il n'avait jamais envisagée. Qu'il n'avait jamais *voulu* envisager.

Après tout, il ne s'agissait que d'une entreprise.

Et puis, songea-t-il, même si elle ne ressemblait à aucune de celles qu'il avait connues, Sylvie Bennett n'était qu'une femme parmi beaucoup d'autres. Il ferait bien de ne pas l'oublier.

Il avait l'habitude que les femmes le flagornent. D'ailleurs, il supposait que son statut de riche célibataire l'aurait fait passer pour un beau parti même s'il avait eu un physique de gnome — ce qui n'était sans doute pas le cas vu, la facilité qu'il avait toujours eue à séduire les femmes.

Mais Sylvie Bennett ne l'avait pas flagorné. Et, même si l'instinct de Marcus lui soufflait qu'elle avait été aussi troublée par lui qu'il l'avait été par elle, elle ne l'avait guère montré. Cependant, elle lui avait semblé furieuse. Et il s'était senti attiré aussi irrésistiblement que ridiculement par la colère qui étincelait dans ses grands yeux sombres. Il avait dû prendre sur lui pour ne pas s'emparer d'elle et piller ses trésors jusqu'à ce que les flammes qu'il sentait brûler en elle les consument tous deux. Pour ne pas l'embrasser pour dissiper sa mauvaise humeur. Pour ne pas serrer contre lui ses courbes voluptueuses et s'emplir d'elle. Pour ne pas l'entraîner dans un bureau vide et dévorer son corps soyeux.

Pourtant, Dieu sait qu'il en avait eu envie ! Et qu'il en avait toujours envie. Elle s'attendait peut-être à parvenir à lui insuffler une espèce de générosité niaise à l'égard de son entreprise chérie, ce soir, mais, pour sa part, il avait d'autres plans. Notamment, dès qu'il aurait réussi à détourner la conversation de cette fibre protectrice qu'elle éprouvait à l'endroit de Colette, il comptait bien apprendre tout ce qu'il y avait à apprendre sur Mlle Sylvie Bennett. Et plus tard, songea-t-il tandis que les battements de son cœur s'accéléraient, il était très probable qu'il mettrait la délicieuse Mlle Bennett dans son lit.

Il savait qu'elle n'était pas mariée car, dès la fin de cette fichue réunion, il avait consulté son dossier. Agée de vingt-sept ans, célibataire, sans enfant, elle travaillait chez Colette depuis la fin de ses études. Elle faisait régulièrement l'objet de rapports dithyrambiques et semblait compter parmi les étoiles montantes de l'entreprise. Il savait aussi qu'elle mesurait un mètre soixante-huit et pesait cinquante-trois kilos — parfaitement répartis en courbes voluptueuses. Seuls manquaient les renseignements d'usage sur sa famille. Elle ne signalait aucun parent et se contentait de préciser que, en cas d'urgence, il fallait prévenir la propriétaire de son appartement. Uniquement des informations pratiques. Cela signifiait-il qu'elle n'avait pas de famille ?

Oh, que oui...

A peine eut-il frappé qu'elle ouvrit la porte.

— Bonsoir, monsieur. Voulez-vous entrer ? lui proposa-t-elle avec une politesse froide.

— Merci, répondit-il tandis qu'elle refermait la porte derrière lui. Tenez, ajouta-t-il en lui tendant la boîte de fleurs qu'il avait prise dans le coffre de sa voiture avant de monter. C'est pour vous.

Sylvie prit le paquet d'un air si soupçonneux qu'il faillit en rire.

— Ne vous en faites pas, ce n'est pas un colis piégé, assura-t-il.

Hum. Peut-être ne lui ferait-il pas l'amour aussi vite qu'il l'avait espéré. Il lui faudrait sans doute plus longtemps qu'il n'avait supposé pour se rapprocher d'elle.

— Merci, dit-elle d'une voix hésitante mais en se détendant un peu.

Mais, quand elle découvrit les fragiles orchidées blanches qu'il était parvenu à protéger de l'air glacé de l'Indiana, elle poussa un cri d'admiration.

— Oh ! Merci, s'écria-t-elle bien plus sincèrement.

Quand elle approcha les fragiles pétales blancs de son visage, il fut frappé de leur contraste avec sa peau rosée.

— Elles sont ravissantes, ajouta-t-elle en souriant, les yeux brillants.

Finalement, il restait peut-être un peu d'espoir pour cette soirée…, songea aussitôt Marcus.

Les fossettes qui se creusaient dans les deux joues de Sylvie ajoutaient à la fois de la malice et de la séduction à son sourire. Il aurait voulu lui caresser le visage pour savoir s'il était aussi doux qu'il le paraissait, presser ses lèvres contre le petit pli que ses fossettes formaient dans son teint parfait. Elle avait souligné sa bouche d'un rouge chaud et brillant. Des images de ce qu'elle pourrait lui faire avec ses lèvres pulpeuses s'imposèrent à son esprit. Que le dîner allait être long ! Rester assis en face d'elle et la regarder savourer chaque bouchée allait mettre son contrôle de soi à rude épreuve.

Elle le conduisit dans le salon aux murs peints de couleurs vives et à la décoration moderne, et lui proposa de s'asseoir.

— Non, merci, répondit-il. Notre table est réservée pour 8 heures.

Ce décor, vif et original mais de très bon goût, à l'image de Sylvie, ne le surprenait pas. Il aurait parié sur quelque chose de ce genre.

Ce soir, elle portait une tenue du même rouge vif que son rouge à lèvres. Il devinait que c'était la couleur qu'elle choisissait pour déclarer la guerre. Sa robe était d'une simplicité trompeuse. Il s'agissait d'un fourreau à manches longues dont l'encolure ras du cou pudique ne révélait qu'un peu de sa peau veloutée. Mais la soie écarlate moulait parfaitement les courbes de son corps. Et, quand elle se rendit dans la cuisine pour mettre les orchidées dans l'eau, Marcus découvrit dans son dos un décolleté en V plongeant jusqu'à la taille qui attisa son désir.

Si elle cherchait à lui transmettre un message, elle avait atteint son objectif, songea-t-il narquoisement. A moins qu'il ne s'agît d'une manœuvre habile. Ce soir, il allait avoir du mal à rester concentré sur les affaires, et elle le savait sûrement.

N'empêche qu'il ne laissait pas de se poser certaines questions. Comment faisait-elle pour porter un soutien-gorge sous une robe comme celle-là ? Selon lui, la réponse était claire : elle n'en portait pas.

Mais comment allait-il entretenir la conversation s'il ne faisait que songer combien il serait facile de glisser les mains sous les bords de sa petite robe sexy ? Combien de temps lui faudrait-il pour arriver jusqu'aux trésors de féminité qu'il convoitait ?

Il poussa un profond soupir. Les pensées qui l'animaient étaient celles d'un parfait salaud. Pire, il ne se rappelait pas la dernière fois qu'une femme s'était ainsi emparée de son esprit. Il travaillait trop.

Elle revint un instant plus tard portant un vase rose vif orné d'un motif oriental dans lequel elle avait placé les orchidées, et le gratifia d'un nouveau sourire très doux. Et, quand elle posa le vase sur la table de verre ovale du coin salle à manger, Marcus eut de nouveau une fort belle vue de son dos.

— Bon, dit-elle en prenant un long manteau de laine blanc sur le dossier d'une chaise, je suis prête.

Il lui prit son manteau des mains. Quand il l'aida à le passer, il ne put résister à l'envie de laisser les mains sur ses épaules un peu plus longtemps que nécessaire. Un parfum floral entêtant monta à ses narines et il le respira profondément. Cette fragrance féminine aux notes secrètes lui correspondait parfaitement.

Tandis qu'ils descendaient l'escalier de marbre de la maison, la porte de l'appartement 1A s'ouvrit. Une élégante femme d'un certain âge en sortit, une casserole fumante dans les mains. Marcus eut la surprise de reconnaître la femme qui avait assisté à la réunion du conseil d'administration cet après-midi. L'autre actionnaire de Colette.

— Bonjour, Rose, dit Sylvie.

— Bonjour, ma chérie. Tu sors, ce soir ?

Sylvie hocha la tête. Marcus sentit qu'elle répugnait à le présenter à sa voisine.

— Rose, dit-elle tout de même, je vous présente Marcus Grey. Marcus, voici ma propriétaire et très chère amie Rose Carson.

Il hocha la tête et ouvrit la bouche pour répondre, mais, quand il croisa le regard de cette dernière, elle lui fit un petit signe de tête discret. Il haussa les sourcils, de plus en plus surpris. Très intéressant. Apparemment, elle ne voulait pas mettre Sylvie au courant de ses liens avec l'entreprise. Mais pour quelle raison ? Au lieu de la question qu'il s'apprêtait à lui poser, il se contenta d'un simple :

— Bonsoir, madame.

— Bonsoir, monsieur, répondit-elle en souriant et en lui témoignant son soulagement d'un regard. Ella, qui habite

22

l'appartement 2D, a la grippe. Alors je lui apporte de la soupe au poulet et au vermicelle.

— Je suis sûre qu'elle va vous en être très reconnaissante, assura Sylvie avec un grand sourire. En ce qui me concerne, ce bouillon a toujours fait des miracles contre la grippe. Oh ! J'allais oublier. J'ai toujours votre broche. Je cours la chercher.

— Rien ne presse, ma chérie, assura Rose. Tu me la descendras une autre fois. Filez vite, tous les deux, et passez une très bonne soirée.

— Vous parlez de la broche que vous portiez aujourd'hui ? s'enquit Marcus. Je me souviens qu'elle était étonnante. De l'ambre, non ? Une superbe pièce.

A son étonnement, Rose Carson rougit.

— Ce n'est qu'une vieillerie à laquelle je tiens un peu, assura-t-elle. Sa valeur est surtout sentimentale.

— Si vous tenez à ce bijou, assura fermement Marcus, cela lui donne une grande valeur.

Cette affirmation lui valut un second sourire de la propriétaire, et un regard approbateur de Sylvie qui se tourna vers Rose.

— Entendu, je vous la rapporte demain. De toute façon, je voudrais vous parler.

Un instant plus tard, tandis qu'ils descendaient l'escalier, Sylvie dit à Marcus :

— C'est gentil, ce que vous avez dit à Rose.

— Je le pensais sincèrement, répondit-il.

Il conduisit Sylvie au nord de la ville, au Country Club de Youngsville, un club privé doté d'un terrain de golf qui jouxtait Ingalls Park et s'étendait jusqu'au lac. Sylvie resta silencieuse tout le trajet ; Marcus se doutait que ce n'était pas dans ses habitudes.

— J'ai consulté votre dossier, annonça-t-il de but en blanc.

Il l'aimait encore mieux irritable et péremptoire que méfiante et nerveuse comme en ce moment.

Elle se tourna vers lui et le regarda enfin.

— Pardon ? dit-elle.

— Il me fallait votre adresse, expliqua-t-il.

Ce n'était pas tout à fait vrai ; il aurait pu charger sa secrétaire de la rechercher.

— Je croyais que c'était ce à quoi servaient les assistantes, reprit Sylvie.

Il sourit. Aurait-elle lu dans ses pensées ?

— Dites-moi pourquoi vous avez voulu entrer chez Colette. J'ai vu que vous y étiez depuis cinq ans. Est-ce la première entreprise où vous soyez entrée, après l'université ?

Elle hocha la tête.

— Oui. J'ai un diplôme de marketing et de management. Quand j'ai entendu dire qu'il était possible que Colette recrute, j'étais folle de joie. J'ai toujours aimé les beaux bijoux et les pierres précieuses. Même s'ils ne sont pas dans mes moyens, ajouta-t-elle en souriant.

— Comment avez-vous commencé ? s'enquit-il.

Il le savait déjà, puisqu'il avait lu son dossier. Mais il voulait la mettre à l'aise et, selon son expérience, il n'y avait rien de tel pour détendre les gens que de les faire parler d'eux.

— Je suis sûre que vous le savez déjà, répliqua-t-elle.

Une fois de plus, il eut la sensation un peu désagréable qu'elle savait exactement ce qu'il pensait.

— Allez… s'il vous plaît. J'ai envie d'entendre votre version de l'histoire.

24

— D'accord, concéda-t-elle en haussant les épaules. J'ai envoyé un C.V. à Colette juste avant de passer mon diplôme, mais je n'avais pas beaucoup d'espoir. J'avais entendu dire qu'il était plus que difficile de mettre un pied dans la maison et que les employés s'en allaient rarement. Alors, quand on m'a appelée pour un entretien, j'ai été stupéfaite. Je me suis dit que j'allais tirer le meilleur parti possible de cette expérience, ce que j'ai fait. En fin de compte, j'ai été embauchée comme assistante dans le service des ventes et j'ai peu à peu monté les échelons jusqu'à mon poste actuel de directrice adjointe du marketing. Et j'adore mon métier.

Il la croyait. Et il devinait qu'elle excellait à monter des stratégies efficaces et à communiquer avec les clients.

— Vous pourriez aussi bien l'exercer dans une autre entreprise, observa-t-il.

— Je n'ai pas envie de travailler dans une autre entreprise. J'aime Colette. Les gens avec qui je travaille sont devenus des amis très chers, tout comme leurs conjoints. Je suis la marraine du premier petit-fils de mon responsable. Vous ne pouvez pas tous les jeter dehors. Colette, c'est autre chose que des dollars, poursuivit-elle franchement énervée. Autre chose que quelques points en bourse. Pourquoi voulez-vous la détruire ?

Il était blessé qu'elle ne lui ait jamais demandé de lui expliquer son point de vue sur la reprise de Colette, qu'avant même de l'avoir rencontré, elle l'ait catalogué comme un dirigeant impitoyable et sans cœur qui faisait tomber des têtes de tous les côtés.

— Je n'ai jamais dit que je voulais la détruire, objecta-t-il une seconde fois.

Si elle n'était même pas disposée à lui accorder le bénéfice du doute, il ne comptait pas lui fournir plus d'informations que celles qu'elle avait apprises par la rumeur publique.

— Votre « famille » et vous avez remué toutes sortes d'histoires qui ne sont peut-être même pas vraies.

— Ou qui le sont peut-être, repartit-elle. Vous n'avez pas répondu à ma question. Vous ne voulez même pas penser aux gens dont le gagne-pain dépend de Colette ?

— Très bien.

Entre-temps, ils étaient arrivés. Marcus se gara et sortit pour ouvrir la portière de Sylvie.

— Très bien ? demanda-t-elle en s'arrêtant net et en lui jetant un regard de défi. Qu'est-ce que ça signifie ? Très bien, vous allez envisager mon point de vue, ou très bien, vous en avez assez ? Vous pouvez me ramener chez moi tout de suite.

2.

— Hou-là ! s'exclama Marcus. Je n'ai pas envie de me disputer avec vous, Sylvie.

— De quoi avez-vous envie, alors ?

Il vit sur son visage qu'elle regrettait cette phrase.

— Tout de suite ou après ? demanda-t-il avec un sourire taquin.

Elle ne commit pas l'erreur de lui demander après quoi.

— Je l'ai cherché, reconnut-elle d'un air penaud.

— Exact, confirma-t-il avant de lui prendre le bras pour l'emmener au club-house. Evitons de parler de notre sujet de désaccord d'ici à la fin de la soirée, suggéra-t-il. Je n'ai pas souvent l'occasion de dîner avec une femme aussi belle que vous, et je voudrais en profiter au maximum.

Elle hésita un instant et il crut qu'elle allait refuser de laisser tomber le sujet. Puis elle secoua la tête.

— Vous êtes un charmeur, monsieur Grey, observa-t-elle. Il va falloir que je sois vigilante.

— Bah, vous n'avez aucune raison de vous inquiéter. Sauf si vous continuez à me donner du « M. Grey ». Appelez-moi Marcus.

— Marcus, répéta-t-elle en souriant.

Le mouvement de ses lèvres quand elle prononçait son prénom était sans doute ce qu'il avait vu de plus érotique de sa vie, et il dut lutter contre la vague de chaleur qui envahit son corps.

Marcus confia le manteau de Sylvie au vestiaire, puis le maître d'hôtel les conduisit à une table qui donnait sur le lac Michigan. Des bourrasques de vent faisaient voler la neige sur sa surface d'acier. Ils contemplèrent ce spectacle un long moment.

— Même en hiver, le lac est magnifique, finit par commenter Sylvie doucement.

Ils buvaient du vin blanc. La flamme d'une chandelle dansait entre eux. Sylvie lui sourit.

— Vous ne m'avez pas dit que, autrefois, votre père possédait une joaillerie. Van Arl, n'est-ce pas ?

Il se figea, son verre de vin à la main. Maintenant, c'était un petit sourire satisfait qu'elle affichait. Il se força à boire une gorgée en feignant le plus grand détachement, puis il reposa lentement son verre.

— Van Arl a cessé son activité depuis longtemps. C'est de l'histoire ancienne.

— A peine un quart de siècle, ce n'est pas si ancien que cela, objecta-t-elle en haussant les sourcils.

— Si vous le dites. Où avez-vous entendu parler de Van Arl ?

— Vous n'êtes pas le seul à vous être préparé pour cette soirée. J'ai fait quelques recherches sur votre compte, cet après-midi, mais je n'ai pas eu la chance de pouvoir me servir d'un dossier tout prêt.

— Génial. Il a fallu que j'invite Sherlock Holmes à dîner.

Il se força à sourire en espérant qu'il paraissait naturel. Il voulait avoir l'air nonchalant, mais, intérieurement, il était en ébullition.

28

— Que voulez-vous savoir sur Van Arl ? Cette entreprise était en activité quand j'étais enfant ; je n'en ai que peu de souvenirs.

— A une époque, elle a semblé très prometteuse. Elle aurait pu entrer en compétition avec Colette, non ?

— C'était le cas dans les années soixante et soixante-dix. En même temps, Van Arl vendait des pierres à Colette, ajouta-t-il en se félicitant de l'égalité de son ton. Jusqu'à ce que Colette détourne les meilleurs créateurs de mon père, ce que vous savez déjà si vous avez enquêté sur le sujet.

Elle hocha la tête. Quand leurs regards se croisèrent, il lut dans celui de Sylvie une sympathie — ou une pitié, il n'aurait su dire ce qui était le pire — qui réveilla en lui une fureur à laquelle il n'avait pas cédé depuis des années. Il ne voulait pas de sa pitié, bon sang !

— Ce n'est pas une question de vengeance, si c'est ce que vous croyez, expliqua-t-il en feignant l'insouciance. Mais quelle bonne histoire ça ferait !

— Oui, confirma-t-elle avant de boire une gorgée de vin. Surtout que, sans ces créateurs, Van Arl ne pouvait plus rivaliser avec Colette, et cela a vite affecté les bénéfices de l'entreprise.

— Comment leur en vouloir ? dit-il en haussant les épaules. Il semble que Colette leur ait offert un salaire et des avantages nettement supérieurs à ceux qu'ils avaient chez Van Arl. Je suis sûr que c'est le souci de leur carrière qui les a motivés. Tout comme c'est l'envie de réaliser une bonne affaire qui motive ma décision de racheter Colette.

Une lueur de compréhension passa dans le regard de Sylvie.

— Alors c'est ainsi que vous voyez les choses ? Une bonne affaire ?

Il se rendit compte qu'il serrait les poings sur la table.

— Marcus, reprit-elle, les gens qui travaillent aujourd'hui chez Colette ne sont pas responsables de ce qui est arrivé à l'entreprise de votre père. A l'époque, c'était Carl Colette le directeur, et il est mort depuis longtemps. Il avait une fille. Il paraît qu'elle est partie, nul ne sait où, il y a des années, et on n'a plus jamais entendu parler d'elle. Il n'y a plus de Colette à la direction de la joaillerie. depuis la mort de la veuve de Carl il y a plus de dix ans.

— Cela n'a rien à voir avec les gens qui travaillent chez Colette, assura-t-il avec insistance. Je me suis toujours intéressé aux pierres et aux bijoux grâce à l'entreprise de mon père, et j'ai envie de développer cet intérêt. Le nom de l'entreprise que je rachète n'a aucune espèce d'importance. C'est purement professionnel. Je cherchais à faire une bonne affaire, et Colette m'a paru moins stable et plus abordable que ses concurrents.

Dans l'espoir de la distraire de cette conversation, il captura les doigts de Sylvie. Du bout du pouce, il caressait légèrement sa peau douce. Mais elle ne se laissa pas dérouter. Elle dégagea sa main.

— Alors, vous comptez laisser Colette intacte même si vous changez son nom ?

— Je n'ai pas dit cela, repartit-il pour esquiver sa question. Mais, comme je vous l'ai déjà dit, je fais toujours en sorte que l'on s'occupe des bons employés quand je rachète une entreprise.

— Si vous le dites…

A l'évidence, elle n'était guère convaincue mais il refusait de mordre à l'appât.

— Oui, je le dis.

Sur quoi, il tourna la tête et fit signe au serveur.

Pendant qu'ils mangeaient le hors-d'œuvre, il parvint à orienter la conversation sur un terrain plus neutre. Il apprit qu'elle était passionnée de théâtre et aimait tout particulièrement les comédies musicales. Ils se rendirent compte qu'ils avaient vu les mêmes spectacles, l'été dernier, au théâtre d'été de la ville, qui faisait venir d'excellentes troupes et au conseil d'administration duquel siégeait Marcus.

— Comment vous êtes-vous intéressée au théâtre ? s'enquit-il. Etes-vous d'une famille d'artistes ?

— J'aime voir de bons spectacles, expliqua-t-elle.

Elle lui avait souri, jusque-là, mais, en prononçant ces mots, elle se rembrunit et se tourna vers le lac.

— Je n'étais jamais allée au théâtre avant le lycée, précisa-t-elle. J'étais... Enfin, je suis... orpheline.

— Oh, je suis désolé. Je ne voulais pas vous rappeler des souvenirs douloureux.

Il lui prit la main.

— Ça va, assura-t-elle.

Elle inspira à fond et il se rendit compte qu'elle faisait un effort pour sourire.

— Vous n'avez pas été adoptée ?

Sylvie secoua la tête. Elle posa sur lui ses étonnants yeux de gitane et lui adressa un petit sourire triste.

— J'ai été un bébé maladif puis une sale gamine. Moi aussi, si j'avais été un parent adoptif potentiel, je me serais enfuie en courant en me voyant.

Elle parlait avec une désinvolture si appuyée qu'il se rendit compte qu'elle souffrait profondément.

— On dirait que vous avez eu une enfance plutôt pourrie...

Elle haussa les épaules. Elle affichait un sourire figé.

— Ça va, assura-t-elle. Je n'y pense presque plus depuis que je suis rentrée dans le droit chemin.

Cette expression intrigua Marcus.

— Depuis que vous êtes rentrée dans le droit chemin ? On dirait presque que vous êtes une ancienne délinquante.

Elle laissa échapper un petit rire et sembla se détendre un peu.

— Non. Mais j'étais sans doute sur le chemin de la prison. J'ai fait les quatre cents coups.

— C'est-à-dire ? Du genre qui cherche la bagarre ou du genre qui attache les gens à leur lit pour leur voler leur argenterie ?

Cette fois, elle rit de bon cœur.

— Ni l'un ni l'autre ! Mais j'avais une méthode à toute épreuve pour éviter les familles d'accueil qui ne me plaisaient pas. Je fuguais sans arrêt jusqu'à ce qu'ils en aient assez d'essayer de me retenir. Au bout de quatre ou cinq familles, on m'a envoyée dans une école spéciale pour jeunes prédélinquants. On aurait dit une institution militaire tant c'était strict. Dans un premier temps, j'ai détesté cela, mais cette discipline était exactement ce dont j'avais besoin, reconnut-elle avec un sourire malicieux. Et je me suis métamorphosée en citoyenne modèle — celle que vous avez devant vous.

— Je suis sûr que, dans le fond, vous êtes toujours une fauteuse de troubles.

Mais il ne laissait pas de se demander comment Sylvie était devenue la jeune femme brillante et exubérante qu'elle était aujourd'hui. Son enfance semblait avoir été un vrai cauchemar. Auprès de qui avait-elle pu trouver l'amour et la sécurité ? Certes, son enfance à lui n'avait pas été parfaite, loin de là, mais il avait toujours pu compter sur l'amour de ses parents. Même quand les choses avaient mal tourné après la faillite de l'entreprise de son père, Marcus n'avait jamais douté d'être aimé. Pour la première fois, il se rendait compte qu'il y avait pire que voir ses parents se séparer, même si cette situation était dure pour un enfant.

Quand ils en furent au café, le trio de musiciens qui avait animé la soirée changea de rythme et se mit à jouer des danses de salon calmes. Autour d'eux, quelques couples se levèrent et se rendirent sur la piste.

— Voulez-vous danser ? lui proposa-t-il.

Il ne l'avait pas amenée ici dans l'intention consciente de la prendre dans ses bras, mais, puisque l'occasion se présentait, il n'allait pas la manquer.

— Avec plaisir, répondit-elle en se levant.

Elle se laissa conduire jusqu'à la piste où il l'entraîna dans une valse. Elle dansait bien, à pas légers, et le suivait aisément même dans des pas difficiles, découvrit-il avec plaisir.

Il avait placé la main sur son dos nu et, sous ses doigts, la peau de Sylvie était comme de la soie chaude. Il savait qu'elle ne portait pas de soutien-gorge et il avait du mal à se retenir de contempler ses seins. Quand la musique alla crescendo, il la fit tourner plusieurs fois de suite si bien qu'elle dut se serrer contre lui. Leurs jambes se touchèrent et, le souffle court, Marcus sentit ses courbes voluptueuses pressées contre lui. Chaque fois que leurs regards se rencontraient, il lisait dans les yeux de Sylvie la fascination sensuelle contre laquelle il cherchait justement à lutter.

Il lui fit exécuter une nouvelle pirouette. Il avait déjà désiré des femmes. Il avait déjà serré leur corps parfumé contre lui, baisé leurs lèvres avides, mais il ne se rappelait pas en avoir désiré une autant que Sylvie. La puissante attirance qui les portait l'un vers l'autre le rendait nerveux, mais il n'était pas question de l'ignorer.

Ils riaient après une passe particulièrement acrobatique, quand une vieille dame qui se dirigeait vers la porte s'arrêta près d'eux et leur dit :

— Vous dansez merveilleusement bien ensemble, tous les deux. Vous devez beaucoup vous entraîner…

Sylvie lui sourit et tapota le bras de Marcus.

— Oui, confirma-t-elle, nous dansons souvent.

Quand la femme s'éloigna, il ne put se retenir de rire.

— Menteuse.

— Non, corrigea Sylvie d'un air de défi, je n'ai pas menti. Je danse souvent, et vous aussi, sinon vous ne danseriez pas aussi bien. C'est elle qui a dit que nous dansions souvent *ensemble*.

— Vous êtes maligne, commenta-t-il en riant de plus belle. Il faudra que je pense à ne jamais prendre ce que vous dites pour argent comptant.

Puis la musique ralentit, et Marcus cessa de rire. Il regarda Sylvie dans les yeux et l'attira vers lui, les doigts noués aux siens. Elle avait de petites mains douces. Il respirait le parfum de ses cheveux noirs et bouclés. Ils évoluaient si près l'un de l'autre qu'il lui aurait suffi de tourner la tête pour poser les lèvres sur sa tempe. L'idée était tentante, mais il se retint.

Ils dansèrent un moment en silence. Il lui caressait le dos et, malgré l'attirance physique presque violente qui existait entre eux, il se sentit se détendre peu à peu. Ils étaient bien. Il avait envie d'elle, mais pouvait attendre. Pour l'instant, il lui suffisait de la tenir dans ses bras. C'était déjà merveilleux.

— On est bien, murmura-t-il.

— Très bien, confirma-t-elle dans un soupir.

— Sylvie… j'aime être avec vous.

C'était vrai, et pas uniquement sur un plan physique. Elle était brillante et spirituelle, elle s'exprimait bien et n'avait pas peur de l'affronter. Elle était la femme la plus attirante qu'il eût rencontrée depuis… Eh bien depuis toujours. Elle était unique.

— Moi aussi, ça me plaît, murmura-t-elle. Trop.

— Comment cela peut-il *trop* vous plaire ?

Cette idée le fit sourire.

Elle s'écarta un peu pour le regarder.

— Vous savez ce que je veux dire. Nous appartenons à deux camps opposés de ce qui pourrait bien devenir une très vilaine petite guerre.

— Nous pouvons ne pas mélanger les affaires et notre relation personnelle, suggéra-t-il en l'attirant à lui jusqu'à sentir ses seins fermes contre sa poitrine.

Au lieu de se raidir, de chercher à se dégager, elle se laissa aller contre lui avec un soupir tranquille. Et il se laissa aller au plaisir intime et profond de danser en l'enlaçant si étroitement, et de sentir le désir que ce contact faisait naître en lui.

— Très personnelle, ajouta-t-il.

— Je ne suis pas sûre que nous puissions dissocier les deux.

Mais elle se blottit contre lui et enfouit le visage dans son cou.

— Moi, si, assura-t-il. Mais pourquoi ne pas convenir que nous ne serons pas d'accord sur ce point, et en rester là ?

— Je… Pourquoi pas ?

Elle avait l'air d'avoir du mal à organiser ses pensées — une situation qu'il ne comprenait que trop bien. Une intense satisfaction s'empara de lui. Il avait eu peur d'être le seul à avoir l'impression de sombrer une troisième fois.

Il sentait la chaleur de son souffle et imaginait que les lèvres de Sylvie pourraient le toucher à tout moment. N'y tenant plus, il l'enlaça et adapta ses courbes à son corps endolori par le désir. Ce geste lui procura une sensation si exquise qu'il faillit gémir quand elle passa les bras autour de son cou.

— Levez la tête, lui ordonna-t-il.

— Non.

— Pourquoi ?

Elle lui répondit par un petit rire rauque.

— **Par**ce que si je le fais, expliqua-t-elle, vous allez m'embrasser. Et je ne crois pas être prête à recevoir des baisers de vous.

Il sourit. Cette franchise inattendue lui plaisait.

— Moi, je sais que je ne suis pas prêt à vous embrasser, n'empêche que j'en ai envie quand-même.

— On ne fait pas toujours ce qu'on veut, répliqua-t-elle avec une pointe de mordant. Votre enfance privilégiée ne vous a pas appris cette vérité ?

Cette phrase avait touché la corde sensible. Il s'arrêta de danser et attendit qu'elle le regarde enfin.

— Ma famille avait de l'argent, concéda-t-il, et je ne peux pas nier que cela m'a rendu la vie plus facile sur beaucoup de plans. Mais ne croyez jamais que l'argent offre tout ce qu'on peut désirer.

Sylvie parut accablée. Le remords assombrissait son regard.

— Marcus, je... je suis désolée. J'ai fait preuve d'une grossièreté impardonnable.

— J'accepte vos excuses, dit-il en pressant les lèvres sur son front. Vous voulez bien m'embrasser pour sceller la paix ?

Elle lui adressa un grand sourire qui creusa ses fossettes.

— Vous, on peut dire que vous êtes tenace, observat-elle.

— C'est l'une de mes principales qualités, confirma-t-il en hochant gravement la tête.

— Pas de baiser, décréta-t-elle. Surtout en public.

— Ah, une lueur d'espoir ! Et en privé ?

Elle lui lança un regard faussement indigné en guise de réponse. En riant, il lui prit la main et l'entraîna à l'écart de la piste de danse.

— Vous êtes prête à partir ? lui demanda-t-il.

— Oui, répondit-elle après avoir consulté sa montre. Mais pas parce que j'ai l'intention de faire des bêtises avec vous, cher monsieur. J'ai du travail, demain.

En riant toujours, il récupéra son manteau au vestiaire et l'aida à l'enfiler.

Quand ils arrivèrent à Amber Street, il la raccompagna jusqu'à son appartement. A mesure qu'ils montaient l'escalier, il la voyait s'éloigner de lui et ériger de nouveau les défenses qu'il croyait avoir surmontées durant la soirée.

Elle s'arrêta devant sa porte, sortit sa clé de son sac et se retourna vers Marcus.

— Merci beaucoup pour cette bonne soirée, Marcus, dit-elle.

Elle avait beau le regarder dans les yeux, il voyait dans son sourire une expression impersonnelle, quasi mondaine, qui l'énerva. Il savait qu'elle avait ressenti cette alchimie entre eux.

Il s'approcha un peu plus d'elle et elle ouvrit de grands yeux avant de pouvoir contrôler sa réaction.

— Sylvie, voulez-vous sortir avec moi demain soir ? lui demanda-t-il.

Elle prit une profonde inspiration.

— Je ne suis pas sûre que ce soit très sage, Marcus. Vous êtes le propriétaire d'une entreprise qui essaie de ne faire qu'une bouchée de mon employeur. Cela me met mal à l'aise…

— J'ai envie de vous revoir. Et vous avez envie de me revoir, n'est-ce pas ?

— Je…, dit-elle, hésitante.

Il posa un doigt sur les lèvres de Sylvie et fit appel à toute sa volonté pour ne pas l'embrasser à pleine bouche.

— Sans mentir.

— Je n'allais pas mentir, assura-t-elle. Mais je crois que c'est une mauvaise idée de mélanger le travail et…

— Cela n'a rien à voir avec le travail, gronda-t-il.

Il la prit par les bras et l'attira contre lui ; et là, il l'embrassa.

D'abord, elle poussa un petit cri de surprise et se raidit. Mais, quand il se mit à lui caresser le dos, elle se détendit et commença de lui répondre par de petits baisers qui en appelaient plus. Beaucoup plus. Le contact de leurs bouches était si érotique que Marcus en fut chaviré. Il serait volontiers allé plus loin encore… Mais il ne voulait pas effrayer la jeune femme. Elle était à la fois sophistiquée et innocente. La façon dont elle l'embrassait le surprenait. Il l'aurait crue beaucoup plus… expérimentée.

Ils portaient toujours leur manteau, mais avaient défait les boutons car il faisait chaud dans la maison. A lents gestes précis, il écarta les pans de laine pour sentir le corps mince et souple de Sylvie onduler contre lui. Il la pressa contre son son ventre durci par le désir. Il fallait qu'elle sache quel effet elle lui faisait.

Elle poussa un petit cri et s'arracha à ses bras pour poser sur lui de grands yeux choqués.

— Hou là ! dit Marcus en la retenant par son manteau.

Il ne voulait pas la lâcher.

— Voilà qui n'était pas très professionnel, je le reconnais…, commenta-t-il.

— Ni très malin, répliqua-t-elle du tac au tac.

Il sourit. Même troublée — car, à l'évidence, elle l'était —, elle ne perdait pas son sens de la repartie.

Elle soupira et lui caressa la joue. Il tourna la tête et pressa un baiser brûlant dans le creux de sa paume, allant même jusqu'à la caresser du bout de la langue.

— Dites oui, chuchota-t-il contre sa main. Accpetez de sortir avec moi demain soir.

Elle hésita tellement qu'il eut le temps de chercher d'autres arguments — comme de lui couvrir le bras de baisers. Mais il n'eut pas besoin d'en user ; car elle poussa un soupir qui disait qu'elle consentait. Toutes ses raisons de refuser semblaient s'être dissipées.

— Oui, murmura-t-elle.

Il aurait voulu sauter de joie, crier « Génial ! », la jeter sur son épaule et l'emmener dans sa caverne — ce qui n'aurait pas manqué de la révolter, indépendante comme elle l'était. Il décida de s'en tenir à un dernier baiser volé.

— Formidable, déclara-t-il. Je passe vous prendre à 19 heures. Tenue décontractée.

— Où irons-nous ?

— Tenue décontractée, se contenta-t-il de répéter.

Sur quoi, il tourna les talons et s'éloigna avant de céder à l'envie de la dévorer toute crue.

— Marcus ? appela-t-elle d'une voix curieusement hésitante. Vous ne… vous ne ferez rien qui puisse nuire à Colette, demain, n'est-ce pas ?

Un jour de plus ou de moins, quelle importance ?

— Non, promit-il sans difficulté. Je vous promets qu'il n'arrivera rien demain.

Mais, tandis qu'il descendait l'escalier du 20, Amber Street et sortait dans la rue, un certain mécontentement vint ternir la douce sensualité dont il était encore imprégné. Que Sylvie croie pouvoir monnayer l'avenir de Colette lui restait en travers de la gorge. Franchement, l'entreprise ne méritait sûrement pas un trésor comme Sylvie Bennett !

Sylvie s'adossa à la porte de son appartement et porta une main à ses lèvres. Elle n'avait encore jamais rien connu de tel auparavant. Du bout des doigts, elle effleura sa bouche encore palpitante des baisers de Marcus. Un homme qui embrassait aussi bien devrait être qualifié de danger public.

Elle soupira et se rendit dans sa chambre. Elle avait l'impression que son corps vibrait partout où il avait été en contact avec celui de Marcus.

La ravissante broche d'ambre que Rose lui avait prêtée ce matin était posée sur sa coiffeuse. Elle l'effleura distraitement. Ce faisant, elle se rappela soudain une conversation qu'elles avaient eue quelques semaines plus tôt, quand Rose l'avait invitée au dîner de Thanksgiving. Trois des amies et collègues de Sylvie étaient présentes. Ces jeunes femmes vivaient toutes à Amber Street et étaient particulièrement proches de Rose qui semblait ravie de son rôle de *mamma*. Récemment, ses trois amies s'étaient mariées ou fiancées, et l'une d'elles, Meredith Blair, avait fait une plaisanterie au sujet de la broche qu'elle portait au repas.

— Attention, Sylvie, avait-elle dit. Si Rose te prête cette broche, tu peux dire adieu au célibat. Je la portais le jour où j'ai rencontré Adam, et elle l'avait prêté à Jayne le jour où elle a fait la connaissance d'Erik. On pourrait croire que celui qui l'a fabriquée l'a investie d'un pouvoir particulier.

— Incroyable ! s'était écriée Lila. Moi aussi, je la portais le jour où Nick et moi…

Elle avait laissé sa phrase en suspens et piqué un fard.

Nick Camden venait de lui prendre la main et, ses yeux bleus pétillant de malice, il avait conclu, amusé.

— Le jour où je me suis rendu compte que je ne pouvais pas vivre sans elle…

Rose affichait un sourire radieux — et un regard entendu.

— Cette broche a peut-être quelque chose de magique, avait-elle observé. Je ferais bien de te la prêter un de ces jours, avait-elle ajouté à l'adresse de Sylvie.

— Ce n'est pas la peine. Ma vie me convient parfaitement comme ça.

Mais, quand elle était tombée sur Rose, dans l'entrée, ce matin en partant au travail, elle était si absorbée par la réunion du conseil d'administration qu'elle avait reconnu la broche sans se rappeler la conversation. Jusqu'à maintenant.

Pendant qu'elle se déshabillait et rangeait ses affaires, son regard ne cessait de revenir au bijou qui brillait sur sa coiffeuse. Se pourrait-il que… ? Non, bien sûr que non. Elle était ridicule.

N'empêche… Jayne, Lila et Meredith avaient rencontré l'homme de leur vie quand elles la portaient. Et si elle et Marcus… ? La douce chaleur qu'elle éprouvait toujours au souvenir des caresses de cet homme en attestait. Marcus. était parfait, si elle ne tenait pas compte de ses projets pour Colette. Ils partageaient les mêmes centres d'intérêt et elle le trouvait plus séduisant que tous les hommes qu'elle avait rencontrés.

Bon. Et cela faisait moins d'une journée qu'elle le connaissait. « Tu craques pour Marcus Grey, se dit-elle pour se mettre en garde. Mais cela n'a rien à voir avec vos goûts communs. C'est purement physique. » C'était d'ailleurs pourquoi elle ne l'avait pas invité à entrer ce soir. Jusqu'alors, elle n'avait jamais eu de mal à mettre fin à une soirée. A vrai dire, elle n'avait jamais échangé plus qu'un chaste bisou de bonne nuit lors d'un premier rendez-vous. La seule relation vraiment intime qu'elle ait eue s'était déroulée à l'occasion d'une fugue plus sérieuse que les autres. Elle avait seize ans. L'expérience avait été douloureuse et tout sauf romantique ; si bien qu'elle n'avait jamais eu envie de la répéter avec personne. Jusqu'à aujourd'hui.

Elle secoua la tête, mécontente d'elle. Dieu sait ce que Marcus pouvait penser de la facilité avec laquelle elle lui avait rendu ses baisers. Il devait avoir tout prévu pour la séduire, et comment le lui reprocher ?

Elle fut parcourue d'un petit frisson quand les images de ce qu'il projetait sans doute de lui faire s'imposèrent à son esprit.

Qu'aurait-elle fait, s'il avait insisté ? Elle fut saisie d'un nouveau frémissement d'excitation. Elle aurait bien voulu être sûre qu'elle l'aurait renvoyé… Mais, entre ses bras, elle doutait de garder le contrôle de ses actes.

C'était pourquoi elle devait rester loin de lui. Très loin.

Alors qu'est-ce qui lui avait pris ? Accepter le dîner de demain soir était de la folie. Elle pouvait se mentir et se dire qu'elle n'avait agi que dans l'intérêt de Colette, mais à quoi bon ? Jamais encore elle n'avait ressenti ce que Marcus lui faisait ressentir. Jamais elle n'avait pensé qu'il manquait un homme à sa vie. Jusqu'à ce soir, quand elle avait ri avec lui, quand la compréhension qu'elle avait lue dans ses yeux alors qu'elle lui racontait son enfance l'avait apaisée. Et, quand elle s'était glissée entre ses bras sur la piste de danse, elle avait eu l'impression d'arriver chez elle après un long voyage.

C'était un sentiment des plus attrayants pour une jeune femme privée depuis si longtemps d'affection. Elle pouvait se regarder objectivement et voir ce qu'elle avait fait de sa vie. D'abord exclue, et fière de l'être, elle avait évolué et fait tout ce qui était en son pouvoir pour réussir. Elle s'était fait des amis, ce qui était presque un exploit au regard de l'adolescence rebelle qu'elle avait vécue. Désormais, elle recevait l'amitié attentive et la chaleur humaine d'un certain nombre de personnes, dont Rose qu'elle aimait aujourd'hui comme une mère. Mais…

Mais elle n'avait jamais connu d'homme qui lui donnât l'impression qu'une part d'elle-même lui manquait quand elle n'était pas avec lui.

« Ma pauvre fille ! songea-t-elle en se faisant une grimace dans le miroir tandis qu'elle achevait de se brosser les dents.

Vous n'êtes sortis qu'une fois ensemble. Une seule fois. Il n'y a pas de quoi se mettre martel en tête. »

N'empêche… En rêve, elle dansa toute la nuit dans les bras d'un homme aux yeux verts, un homme qui représentait la pièce majeure du puzzle incomplet de la vie de Sylvie Bennett.

Le lendemain, elle eut l'impression de flotter toute la journée au bureau. Son patron, Wil Hughes, lui jeta un regard curieux.

— A quoi pensez-vous, Sylvie ? Vous avez l'air un peu distraite aujourd'hui.

— Excusez-moi, fit-elle en se hâtant de se remettre à l'ouvrage. Ce sont les projets des Entreprises Grey qui m'inquiètent.

Wil hocha la tête.

— Comme nous tous, affirma-t-il. Mais il n'y a rien que nous puissions faire tant que nous ne savons pas à quelle sauce nous allons être mangés. A ce moment-là, nous verrons si des possibilités s'offrent à nous, et lesquelles. Seigneur ! L'idée de quitter Colette et de tout recommencer ailleurs me fait horreur.

— On n'en arrivera peut-être pas là.

— Peut-être pas. Tiens, reprit-il en souriant, à propos de Grey, racontez-moi ce qui s'est passé quand vous avez traîné le lion hors de son repaire hier. Je n'en croyais pas mes yeux. Vous êtes arrivée à quelque chose ?

Sylvie sourit en se rappelant la réprimande forcée et peu convaincue que son supérieur lui avait adressée pour sa conduite.

— C'est plutôt le lion qui m'a traînée, objecta-t-elle. Et je ne sais pas du tout si je l'ai fait changer d'avis. Cela dit, nous avons dîné ensemble hier soir et je le revois ce soir, alors je vais continuer de travailler pour nous.

— Vous plaisantez ? s'exclama Wil en se redressant.

— Pas le moins du monde.

— Nom d'un chien ! C'est Maeve qui ne va pas en revenir. Il faudra que vous veniez dîner très vite pour tout nous raconter dans les moindres détails.

— Je serais ravie. De venir dîner, se hâta-t-elle d'ajouter. Quant aux détails, prévint-elle en riant, il faudra peut-être en censurer certains.

— Oh, je fais confiance à Maeve pour vous tirer les vers du nez.

Maeve, la femme de Wil, était clouée dans un fauteuil roulant depuis sept ans à la suite d'un accident de voiture, et souffrait de problèmes de santé chroniques. Malgré tout, elle demeurait chaleureuse et très vivante. Wil et elle avaient été les deux premiers amis de Sylvie, quand elle était arrivée chez Colette, bien avant qu'elle ne soit transférée au marketing. Elle aurait fait n'importe quoi pour eux. Elle savait que l'une des plus grandes inquiétudes de Wil au sujet du rachat de Colette était de savoir comment il ferait pour payer l'assurance maladie, indispensable compte tenu de l'état de santé de Maeve, s'il était contraint de s'en aller.

— Comment va-t-elle ? s'enquit Sylvie.

— Pas trop mal. Le médecin assure qu'elle est parfaitement remise de sa grippe.

Sylvie lui prit la main et la serra pour lui témoigner sa sympathie.

— Tant mieux, dit-elle. Je suis heureuse de l'apprendre.

La porte du bureau s'ouvrit et ils se retournèrent pour voir qui était entré. Mais ils ne furent pas plus avancés. Un énorme bouquet de fleurs superbement arrangées surmontait une jupe de laine verte et deux ravissantes jambes.

— Où est le bureau ? demanda la voix de Lila Maxwell, derrière les fleurs.

Sylvie se leva en riant et guida son amie jusqu'à la table.

— Pose-les là, lui enjoignit-elle. Mais dis-moi, qu'est-ce qui te prend de jouer les livreuses ?

Lila posa le bouquet et se redressa, les yeux brillants.

— Je remontais dans mon bureau quand j'ai vu ça. Les filles de la réception m'ont dit que c'était pour toi, alors j'ai dit que j'allais te le monter. J'ai hâte de voir qui te l'a envoyé !

— Je parie que j'ai deviné, intervint Wil.

Sylvie prit la petite enveloppe fixée au bouquet, et l'ouvrit. « J'ai hâte de vous revoir ce soir. Marcus », lut-elle.

— Eh bien, on dirait que tu as fait forte impression, commenta Lila qui avait regardé par-dessus son épaule sans la moindre gêne, imitée par Wil. Rose m'a dit que tu étais sortie avec lui, hier soir. J'imagine que ça valait le coup, si vous recommencez ce soir.

Sylvie se sentit piquer un fard.

— Nous avons passé une bonne soirée, commenta-t-elle prudemment.

— Vous voulez bien faire quelque chose pour nous ? lui demanda Wil. Passez de nouveau une excellente soirée et, pendant que vous y êtes, convainquez-le de renoncer à fermer Colette.

— C'est un peu lui mettre la pression, non ? objecta Sylvie avec une grimace.

Ses deux amis eurent l'air sincèrement choqués. Lila fut la première à revenir de sa surprise et à prendre la parole.

— Sylvie, ce n'est pas comme si on te demandait de sortir avec lui dans le seul but de sauver l'entreprise.

— C'est clair, concéda-t-elle en souriant. Hier soir, je suis bien sortie avec lui pour Colette, mais, ce soir, c'est parce qu'il danse bien et que nous avons passé une très bonne soirée.

3.

Le soir, en enfilant un pantalon de flanelle marine et un pull de soie d'un bleu plus pâle, Sylvie savait fort bien que cette soirée avait quelque chose d'extraordinaire, même si elle avait affirmé le contraire à ses amis.

Le trac lui nouait l'estomac alors qu'un rendez-vous ne lui faisait jamais ce genre d'effet. Trouverait-elle Marcus Grey aussi séduisant que la veille ? Ou se moquerait-elle de son emballement qu'elle attribuerait au vin et à la danse ?

On sonna à la porte tandis qu'elle était en train de mettre un peu d'ordre dans le salon. Quand elle ouvrit, elle croisa le regard émeraude de Marcus.

Son cœur fit un bond dans sa poitrine. Elle avait le souffle court. Dieu ! qu'il était beau ! Il portait un pantalon de velours côtelé noir, une chemise blanche au col ouvert qui laissait entrevoir sa toison blonde et un bombers noir. Sa silhouette, sa carrure, toute sa personne était époustouflante.

— Bonsoir, lui dit-elle aussi normalement qu'elle le put.

— Bonsoir. Vous êtes ravissante, déclara-t-il en la contemplant de la tête aux pieds.

— Merci. Et merci pour les fleurs que vous m'avez envoyées aujourd'hui. Comme vous voyez, ajouta-t-elle en désignant le manteau de cheminée sur lequel elle les avait posées, elles sont en bonne place.

46

Elle prit dans le placard une veste de laine pied-de-poule qu'il l'aida à enfiler. Quand elle se tourna dos à lui pour enfiler les manches, il l'enlaça.

— Sylvie, murmura-t-il, j'ai attendu ce moment toute la journée.

Elle s'enveloppa des bras de Marcus. Quel bonheur d'être ainsi blottie dos contre lui. Et dire qu'il allait falloir résister...

Elle se rappela une énième fois qu'elle n'était pas du genre à coucher avec un homme après un seul rendez-vous. Ni même plusieurs.

— A propos d'hier soir, commença-t-elle d'une voix à peine audible, je ne... Enfin, je ne suis pas du genre à...

— Je n'ai jamais pensé cela, assura-t-il avec une espèce de tendresse amusée.

Il l'enlaça plus étroitement et elle eut l'impression qu'il livrait une bataille intérieure. Mais, presque aussitôt, il la libéra et la prit par la main.

— Vous êtes prête ?

Quand il finit par quitter la route côtière, elle découvrit un petit restaurant italien dont elle avait déjà entendu parler. Il surplombait une plage de sable blanc et donnait sur le lac. Le maître d'hôtel les conduisit à une table dans un coin tranquille.

Après avoir consulté la carte des vins et fait son choix, Marcus regarda Sylvie avec une intensité qui la troubla quelque peu.

— Alors, où en étions-nous restés, hier soir ?

Le souvenir un peu trop précis de ce qu'ils avaient fait avant de se séparer la fit rougir. Marcus lui sourit. Il était si beau et dégageait une telle sensualité qu'elle retint son souffle.

— A quoi pensez-vous ? lui demanda-t-il.

— Je ne vous le dirai pas, répliqua-t-elle en souriant et en s'efforçant de parler normalement. Reprenons plutôt la conversation là où nous l'avons laissée…

Il hocha la tête.

— Parlez-moi de ce foyer dans lequel vous êtes allée. Qu'est-ce qui vous a décidée à vous en sortir ?

Sylvie sourit. C'était un merveilleux souvenir.

— Facile, répondit-elle. Quelqu'un m'a serrée dans ses bras.

— Quelqu'un vous a serrée dans ses bras ? répéta-t-il, surpris.

— Oui. Les premières semaines, j'étais une sale gamine décidée à nager à contre-courant. Mais il y avait cette dame… une bénévole qui venait au foyer deux fois par semaine. Elle assurait le soutien scolaire pour ceux qui en avaient besoin, donnait un coup de main à l'heure des repas s'il n'y avait pas assez de personnel et, quelquefois, elle jouait aux cartes avec les pensionnaires. La première fois qu'elle m'a vue, elle est venue à moi et m'a serrée dans ses bras. « Je suis ravie de faire ta connaissance, Sylvie », m'a-t-elle dit.

Marcus semblait un peu sceptique.

— Vous ne deviez pas être si dure que cela, si ça a suffi.

— Oh, elle n'a pas réussi du premier coup, corrigea Sylvie. Mais, au bout de quelques semaines, je me suis rendu compte que j'attendais ses embrassades avec impatience. Un jour, j'ai eu un A à une interro de math. C'était plutôt le fruit du hasard, mais elle a été si heureuse qu'on aurait pu croire que je venais de réussir l'agrégation ! Elle m'a serrée dans ses bras et m'a félicitée en me répétant combien elle était fière de moi. Ensuite, elle m'a dit que je devais moi-même être fière de moi… et j'ai découvert que c'était le cas. C'est ce jour-là que la « nouvelle Sylvie » est née.

— Ce devait être une dame exceptionnelle, commenta Marcus.

— Elle l'est toujours. Elle continue d'aller au foyer deux fois par semaine et j'y vais avec elle une fois par mois. Vous l'avez rencontrée hier, ajouta-t-elle avec un sourire empreint d'affection.

— Mme Carson ? demanda-t-il en se redressant, soudain plus vigilant. Votre... euh, votre propriétaire ?

— En personne.

Il se demanda pourquoi cette anecdote semblait tant l'intéresser, mais, au même moment, le serveur leur apporta le vin et elle n'y pensa plus.

Ils bavardèrent en dînant. Marcus interrogea Sylvie sur son travail.

— Alors, que fait une directrice adjointe du marketing, au juste ?

— A peu près ce qu'on s'attend qu'elle fasse, répondit-elle en haussant les épaules. Je supervise l'équipe qui crée les campagnes de publicité et les slogans de l'entreprise. Pour l'instant, nous nous occupons de la campagne de l'automne prochain.

— Neuf mois à l'avance ?

— Oui, il faut du temps pour mettre en place un bon plan marketing. Nous travaillons toujours avec beaucoup d'avance. Dès la Saint-Valentin, je recommencerai à penser à Noël.

— On ne doit plus s'y retrouver, dans les fêtes, au bout d'un moment, dit-il en riant. A propos, je crois qu'on va avoir un Noël blanc.

Sylvie regarda par la fenêtre. De gros flocons tombaient sur le lac rendu argenté par le clair de lune.

— Quelle chance ! s'écria-t-elle en battant des mains. J'adore la neige.

Sauf quand elle avait d'importantes réunions le matin, bien sûr.

— Je ne savais pas qu'on avait annoncé de la neige pour ce soir.

Le serveur venu débarrasser entendit cette remarque.

— Apparemment, ils prévoient que ce sera la seconde grosse tempête de neige de la saison, monsieur.

— Génial, dit Marcus en grimaçant. Moi qui conduis une voiture-jouet… Je suis désolé de mettre un terme à cette soirée plus tôt que prévu, reprit-il en se penchant vers Sylvie, mais la Mercedes n'a pas une très bonne tenue de route quand ça glisse. Il vaudrait mieux nous mettre en chemin.

Sylvie hocha la tête, un peu déçue.

— Entendu.

Marcus régla l'addition et alla chercher les manteaux. En sortant de la douce chaleur du restaurant, une bourrasque glacée les gifla au visage.

Le sol se couvrait déjà de neige et le trottoir était glissant. Marcus émit un grondement agacé.

— Attendez-moi là. J'amène la voiture.

Quelques instants plus tard, ils sortaient du parking à bord de la voiture et reprenaient la route de Youngsville. Ils ne parlaient guère. La neige commençait de tenir sur la route et Marcus avait besoin de toute sa concentration pour conduire. Le trajet qui leur avait pris à peine plus d'une demi-heure à l'allée dura largement le double au retour. Les déneigeuses et autres sableuses permettaient une circulation presque normale sur les autoroutes aux abords de la ville, mais, quand ils empruntèrent la sortie qui conduisait chez Sylvie, la voiture glissa dans la pente et Marcus ne put s'arrêter au stop. Il manœuvra habilement pour éviter de partir en tête-à-queue, non sans prononcer un chapelet de jurons. Et il parvint à maintenir la voiture dans la bonne direction.

— Heureusement qu'il n'y avait personne d'autre à ce croisement, observa-t-il.

Sylvie hocha la tête en guise de réponse. Son cœur battait la chamade sous l'effet de la peur.

— Je suis désolé, dit-il avec sincérité, je n'ai pas consulté la météo. Je ne m'attendais pas à cette neige.

— J'ai entendu un bulletin dans l'après-midi. On n'annonçait que deux ou trois centimètres. Pas une tempête comme celle-là.

Le reste du trajet jusque chez elle se déroula sans encombre, malgré quelques dérapages. Et, quand Marcus se gara dans le parking derrière Amber Street, il poussa un profond soupir de soulagement.

Tandis qu'il la raccompagnait chez elle, Sylvie eut l'impression que la neige tombait de plus en plus dru. Un véritable blizzard semblait se préparer. Elle s'inquiéta à l'idée que Marcus devait rentrer chez lui. Elle ne savait pas exactement où il habitait, mais elle avait lu quelque part qu'il possédait une belle maison dans Cedar Forest, un quartier chic du nord-ouest de la ville. Autrement dit, à au moins vingt minutes de chez elle dans des conditions de circulation normales. Ce soir, Dieu sait pour combien de temps il en avait.

— Voulez-vous entrer ? lui proposa-t-elle comme ils approchaient de la porte de son appartement. Nous pourrons regarder ce qu'annonce la chaîne météo.

— Je n'ai pas besoin de la chaîne météo pour savoir que rentrer chez moi par ce temps ne va pas être une partie de plaisir.

Sylvie hésita un court instant.

— Vous… vous pouvez rester chez moi. Ce n'est pas raisonnable de reprendre la route.

Ce n'était pas la chose la plus intelligente qu'elle eût faite, mais elle aurait eu trop mauvaise conscience de le renvoyer par ce temps.

A côté d'elle, Marcus s'arrêta de dérouler son écharpe écossaise. Il la regarda dans les yeux, et ce qu'elle lut dans son regard la fit frémir de désir.

— Je ne suis pas sûr que ce soit une bonne idée, objecta-t-il.

— Moi non plus, avoua-t-elle, mais conduire sous la neige n'est pas une bonne idée non plus. Demain matin, il fera jour : la neige aura cessé et les routes seront déblayées. J'ai un canapé-lit, précisa-t-elle.

Le sourire de Marcus éclaira l'intensité de son regard.

— Mes pieds ne vont pas dépasser ?

Elle secoua la tête et tira sa clé de son sac pour ouvrir la porte.

— Je ne pense pas. C'est un grand modèle. Mais, s'il est quand même trop court, vous n'aurez qu'à dormir dans mon lit et je prendrai le canapé.

— Pas question, déclara-t-il en entrant derrière elle et en refermant la porte. Je ne dormirai dans votre lit que si vous y êtes avec moi.

Sylvie eut l'impression que des flammes s'allumaient au creux de son ventre. Elle les ignora et s'efforça de parler d'une voix la plus normale possible.

— Je ne vais pas coucher avec vous, Marcus. Je croyais que nous nous étions mis d'accord sur ce point.

Il ôta son manteau et l'accrocha avec son écharpe à la poignée de la porte du placard.

— On peut changer de projets, reprit-il, les yeux brillants. D'ailleurs, je n'ai jamais accepté ça.

Elle allait répondre par une pique quand elle se rendit compte qu'il la taquinait. Mais ses paroles lui avaient rappelé un autre sujet. A son tour, elle ôta son manteau, puis elle alla dans la cuisine.

— Avez-vous réfléchi à vos projets pour Colette ? lui demanda-t-elle.

La bonne humeur de Marcus se dissipa instantanément. Elle regretta aussitôt sa question. Elle commençait de l'apprécier — plus qu'elle n'aurait dû, sans doute — et n'avait aucune envie de gâcher la soirée.

Il lui fit une réponse sibylline :

— Je pense tout le temps à Colette.

Elle n'avait pas prévu de poursuivre mais se trouva incapable de s'arrêter. D'ailleurs, n'était-ce pas la raison qui les avait fait se rencontrer ?

— Dans quel sens ? s'enquit-elle en sortant deux tasses à café.

— Je réfléchis au meilleur moyen de l'intégrer dans mes entreprises actuelles. Ce genre de chose.

— Mais… mais vous ne pouvez pas ! Marcus, vous ne pouvez pas dissoudre Colette ! s'écria-t-elle. Pouvez-vous me jurer qu'il n'y aura aucun licenciement en cas de fusion ?

Il croisa les bras, ce qui fit saillir ses biceps sous sa chemise blanche, et s'adossa au comptoir. Il l'observa un moment avant de répondre.

— Je ne peux rien vous promettre.

Il était très catégorique, nota Sylvie sans cesser de préparer le café.

— Vous ne pouvez pas ou vous ne voulez pas ?

Il se redressa et vint jusqu'à elle. Elle se tourna face au placard, les deux mains crispées sur le bord du plan de travail. Mais il la prit tout de même par les épaules et se pencha pour lui parler à l'oreille.

— Les deux, murmura-t-il. Comme vous voulez. Je n'ai pas envie de parler affaires avec vous, Sylvie, ajouta-t-il en la forçant à pivoter pour lui faire face.

Elle leva vers lui des yeux pleins de larmes et, quand elle parla, son attachement pour son entreprise fit vibrer sa voix.

— Je ne suis pas capable, comme vous, de diviser ma vie en petits compartiments, dit-elle en lui échappant et en allant dans sa chambre. Je vais prendre quelques affaires et descendre passer la nuit chez Rose. Vous pourrez dormir dans mon lit.

Marcus se tournait et se retournait sur le canapé-lit de Sylvie. Il finit par se réveiller pour de bon au bout d'une nuit interminable. C'était sans doute idiot, mais, quand il lui avait dit qu'il ne dormirait pas dans son lit sans elle, il le pensait. Il faisait encore noir, mais le cadran lumineux de sa montre lui apprit qu'il était presque 6 h 30.

Dire qu'il était seul dans l'appartement de Sylvie à plus de 6 heures du matin ! Bon sang ! Il avait échafaudé plusieurs plans pour passer la nuit chez elle mais dormir seul sur un canapé-lit défoncé n'en faisait pas partie !

En jurant à mi-voix, il se leva, prit les serviettes qu'elle avait eu la prévenance de lui donner, et alla dans la salle de bains. Sous la douche, il se prit à regretter que l'eau ruisselante n'emporte pas tous les problèmes que lui posaient ses affaires et sa relation avec cette jeune femme.

Les affaires… Au fond de lui, il savait bien qu'il n'envisageait aucun avenir glorieux pour Colette. En fait, à moyen terme, il comptait faire absorber la joaillerie par les Entreprises Grey. Colette à proprement parler n'existerait plus : on la rebaptiserait.

« Les affaires sont les affaires, se dit-il pour se donner bonne conscience. Il s'agit d'une décision économique saine.

Colette a montré des signes de faiblesse ces derniers temps. Le nom de Grey va redonner de la valeur aux actions. »

Il oublia délibérément que c'étaient les rumeurs de rachat par Grey qui avaient fait chuter le cours de Colette. De toute façon, ce n'était pas sa faute : ce n'était pas lui qui les avait fait courir, ces bruits. Même s'il était forcé d'admettre qu'il n'avait rien fait non plus pour y mettre fin. Et ensuite, Colette avait intenté ce procès grotesque à Grey.

Et avait perdu, ayant été incapable de prouver — comme il l'avait prévu — qu'il était à l'origine des rumeurs.

Il regrettait presque de ne pas avoir eu cette idée. Car les rumeurs avaient servi son plan à merveille. Certains actionnaires inquiets l'avaient même contacté avant qu'il ne leur propose de racheter leurs parts !

A propos de travail, il fallait qu'il repasse chez lui se changer avant d'aller au bureau. Ce qui lui rappela pourquoi il se trouvait dans cet appartement et non dans sa grande maison.

Il s'habilla, alla à la fenêtre et écarta le rideau pour regarder dehors. Tout était blanc. S'il neigeait relativement peu à Youngsville, comparé aux autres régions de l'Etat plus éloignées des Grands Lacs, il devait tout de même y avoir pas loin de trente centimètres au sol, et quelques flocons tombaient encore. Mais la rue qui longeait le parking avait été déneigée et ce devait être le cas à peu près partout. Ce ne serait pas parfait, mais cela suffirait pour qu'il rentre avec la Mercedes et prenne un autre véhicule mieux adapté pour retourner au bureau.

Il alluma la télévision sur la chaîne météo, le temps d'apprendre qu'il neigerait encore ce soir. L'hiver s'annonçait rigoureux.

Dans la cuisine, il réchauffa le café que Sylvie n'était pas restée boire la veille au soir. Il vida sa tasse d'un trait et alla prendre son manteau dans l'entrée. Il s'habillait quand il entendit un bruit de clé. La porte s'ouvrit. Sylvie entra et s'arrêta net quand elle le vit.

— Bonjour, dit-il d'une voix aimable mais détachée.

— Bonjour.

Elle était adorable, comme toujours. Elle avait dû prendre des vêtements avant de descendre car elle portait un tailleur lavande qui faisait ressortir l'ivoire de sa peau et la couleur exotique de ses cheveux et de ses yeux. Mais elle avait l'air... soucieuse.

— A propos d'hier soir, commença-t-elle.

Il leva une main pour l'interrompre.

— Je sais que vous voulez que je...

— Non.

Il s'interrompit et la regarda, désorienté.

— J'ai compris que je n'avais pas à vous demander quoi que ce soit concernant vos affaires. Je suis désolée de m'être mise en colère. Seulement... je vous en prie, dans la mesure du possible, examinez bien chaque cas avant de licencier. Il y a chez Colette beaucoup de gens merveilleux qui ne méritent pas de se retrouver sur le carreau à cause d'une vieille rancune.

— Il ne s'agit pas d'une vieille rancune. Les affaires sont les affaires.

Mais il savait qu'il n'était pas tout à fait de bonne foi. Et surtout, il ne pouvait pas résister aux grands yeux tristes de Sylvie.

— Je vous promets de faire très attention si des décisions doivent être prises concernant le personnel.

Elle ferma les yeux un instant.

— Merci, murmura-t-elle.

Il s'approcha d'elle et la prit dans ses bras.

56

— J'ai bien cru que vous ne m'adresseriez plus jamais la parole, dit-il d'une voix rauque, un peu surpris de se sentir aussi soulagé.

Il lui prit le menton, lui inclina la tête pour l'embrasser.

— Si j'étais raisonnable, je vous dirais non, murmura-t-elle. Mais je ne dois pas être très raisonnable puisque je n'ai pas réussi à garder mes distances.

— Tant mieux.

Cette fois, il l'embrassa profondément, avec une possessivité et une passion qui allumèrent un brasier au creux de ses reins. Sur le point de perdre le contrôle, il l'écarta de lui.

— Demain soir, dit-il. J'ai des billets pour l'Ingalls Park Theatre. Venez avec moi.

— D'accord.

Le lendemain soir, ils assistèrent dans la loge privée de Marcus à une très belle représentation de *Un Chant de Noël* de Dickens. Marcus tenait Sylvie par les épaules. Et elle avait beau essayer de se concentrer sur la pièce, sentir la chaleur et la fermeté du corps de Marcus tout près d'elle ne laissait pas de la distraire. Il lui caressait doucement l'épaule du bout du pouce et déposait de temps à autre un baiser dans son cou découvert par sa robe du soir.

Elle aurait dû se mépriser d'être aussi faible, elle le savait. Elle aurait dû être capable de résister à la tentation. De n'envisager aucune relation avec lui. Mais il était déjà trop tard pour cela… Qu'elle le voulût ou non, ils avaient plus qu'ébauché une idylle.

D'ailleurs, pour être tout à fait honnête, c'était ce qu'elle souhaitait. A vingt-sept ans, elle n'était pas sortie avec beaucoup d'hommes. Au lycée et à l'université, une fois qu'elle avait cessé de se rebeller, elle s'était concentrée sur ses études.

Ensuite, quand elle avait commencé de travailler chez Colette, elle s'était jetée corps et âme dans sa carrière. Cela ne lui avait pas laissé beaucoup de temps pour les hommes. D'ailleurs, ils ne s'étaient pas bousculés à sa porte pour tenter de la faire changer d'avis… Elle en était arrivée à la conclusion qu'elle était trop… Comment dire… indépendante ? intelligente ? forte ? Un peu des trois, peut-être. Les quelques hommes avec lesquels elle était sortie s'étaient souvent révélés des merveilles d'un soir qui ne l'avaient jamais rappelée. Ce qui était significatif, c'était qu'elle n'y avait jamais attaché assez d'importance pour en souffrir.

Alors que, si Marcus ne la rappelait pas, elle y attacherait de l'importance. Et elle en souffrirait.

Marcus lui faisait ressentir… toutes sortes de choses. Des choses qu'elle n'avait jamais éprouvées. Et pas seulement sur le plan physique. C'était comme si quelque chose en elle reconnaissait quelque chose en lui et le recherchait, alors même qu'elle n'était capable ni de l'identifier ni de le contrôler. Elle songea à la broche de Rose et baissa la tête pour la voir sur sa robe. Et si c'était ce bijou qui les avait réunis ?

« C'est idiot, se reprit-elle aussitôt. Un conte de fées idiot ! » N'empêche… Marcus lui correspondait comme personne. Pas question de balayer cela d'un revers de main. C'était un homme bien, elle le savait. Elle était sûre qu'il finirait par changer d'avis sur Colette.

A la fin de la pièce, il l'aida à enfiler son long manteau de laine et ils sortirent.

— Voulez-vous aller prendre un verre ? lui proposa-t-il à l'oreille.

Elle frémit en sentant son souffle sur sa peau et accepta. Que la soirée dure le plus longtemps possible… voilà ce qu'elle souhaitait de tout son cœur.

58

Il la prit par la main et l'entraîna au coin de la rue, dans un petit pub bien éclairé. Ils s'installèrent dans une stalle le long du mur. Marcus leur commanda du vin et Sylvie alla se repoudrer le nez.

Quand elle revint, un homme très grand à l'impressionnante chevelure argentée se tenait près de leur table et parlait à Marcus, qui se leva en voyant arriver Sylvie.

— Sylvie, annonça-t-il, je vous présente Kenneth Vance, le directeur général de l'Ingalls Park Theatre. Ken, voici Sylvie Bennett.

— Bonjour, mademoiselle. Très heureux.

— Oh ! s'écria-t-elle en lui tendant la main, c'est moi qui suis heureuse de faire votre connaissance. Le spectacle était magnifique.

Vance sourit et lui fit un signe de tête.

— Merci, mais vous pouvez remercier Marcus. Sans son soutien financier considérable, nous aurions beaucoup de mal à offrir au public des productions professionnelles de ce niveau.

A sa grande surprise, Marcus parut mal à l'aise.

— Tais-toi, Ken, ou tu n'auras plus un sou, le prévint-il.

— Motus et bouche cousue, repartit le comédien en souriant.

Un moment plus tard, ils regagnaient le gros quatre-quatre que Marcus avait préféré à la Mercedes à cause de la neige.

— Hum, dit-elle tandis qu'il l'aidait à s'installer à l'avant. Philanthrope, alors ? Quelles autres causes soutenez-vous en secret ?

— Bah, vous savez ce que c'est, répondit-il évasivement en prenant place au volant. On donne un peu ici et là.

— Ah, dit-elle amusée, mais surtout heureuse de découvrir qu'elle ne s'était pas trompée sur son caractère. Je parie que votre notion d' « un peu » est différente de la mienne.

— Pas tant que cela, je pense, corrigea-t-il en lui prenant la main. Vous avez beaucoup de cœur.

— Qu'est-ce qui vous donne cette impression ? voulut-elle savoir, un peu gênée.

— Il en faut pour s'intéresser aux gens avec lesquels on travaille. C'est une qualité que j'admire chez vous.

C'était l'occasion rêvée de lui reparler de Colette, mais Sylvie se retint. Au lieu d'aborder ce sujet sensible, elle lui demanda :

— M. Vance est charmant. Vous le connaissez depuis longtemps ?

— Une dizaine d'années. Il est très dévoué à son cher théâtre, remarqua-t-il en souriant. Je crois qu'il ferait n'importe quoi pour le garder à flot.

C'était exactement ce qu'éprouvait Sylvie pour Colette, mais elle se garda de le dire.

— C'est un vrai passionné, on dirait, observa-t-elle à la place.

— Oui. A vrai dire, c'est ma mère qui m'a poussé à m'impliquer. Elle siégeait au conseil d'administration depuis des années, mais, comme elle voyage de plus en plus, elle m'a suggéré de la remplacer.

Cette explication intrigua Sylvie. Elle avait beaucoup de mal à se représenter Marcus avec une mère, à l'imaginer petit garçon. Il était si... si viril, si sûr de lui, si décidé... Avait-il déjà ce tempérament, enfant ?

— Je ne savais pas que votre mère vivait à Youngsville.

— Ah ? Vous n'avez pas trouvé cette information dans l'ordinateur, l'autre jour, quand vous avez cherché des renseignements sur moi ? s'étonna-t-il en souriant.

Elle lui fit une grimace. Ses recherches lui avaient appris que sa mère était née Cobham, une grande famille de Chicago, mais elle s'en était tenue là.

— Je suis né à Youngsville, raconta-t-il. La famille de ma mère était implantée à Chicago depuis longtemps. Elle a rencontré mon père là-bas, à une exposition. Ils se sont installés à Youngsville après leur mariage.

— Et c'est là qu'ils ont ouvert Van Arl, devina-t-elle.

— Exact.

— Vous avez des frères et sœurs ?

— Non, je suis fils unique.

— De la famille dans la région ?

Il haussa les sourcils et profita d'un feu rouge pour se tourner vers elle.

— C'est le jeu de la vérité ?

— Vous en savez bien plus sur moi que moi sur vous, pour l'instant. Donc, je me rattrape.

— C'est juste, concéda-t-il dans un soupir. Alors, voilà la version courte : je n'ai pas de grands-parents vivants. Mon père est mort quand j'avais dix-huit ans. Ma mère habite un appartement à quelques rues de chez moi. Que voulez-vous savoir d'autre ?

— Je ne sais pas… Quelle est votre couleur préférée ?

— Le bleu, révéla-t-il en riant. Et la vôtre ?

— Le rouge. Votre musique préférée ?

— Le classique. Et vous ?

— J'aime tous les genres.

— D'accord. A mon tour. Vous avez des hobbies ?

— Pas vraiment. Je crois qu'on pourrait me qualifier de bourreau de travail. Cela dit, j'aime bien lire quand j'ai du temps libre.

— Et votre sport de prédilection ?

Elle fit la grimace.

— Pas de gros mots, s'il vous plaît. Bon. Sérieusement, j'aime danser, ce que vous savez déjà. Le ski, c'est sympa. Et la natation. Je joue au squash trois fois par semaine au bureau, mais c'est plus pour rester en forme que parce que j'aime ça.

— Alors comme ça, vous jouez au squash ? Il faudra que nous nous mesurions, un de ces jours.

— Oh non ! répliqua-t-elle. Je ne joue que pour me détendre. Alors que vous, vous êtes sûrement de ces fanatiques qui ne supportent pas de perdre.

— Je suis donc à ce point prévisible ?

— Désolé, ça va avec la personnalité de requin des affaires, expliqua-t-elle en lui tapotant l'épaule.

— Un requin des affaires ? C'est comme cela que vous me voyez ?

— Eh bien, vous n'avez pas fait fortune en travaillant dans des associations caritatives, n'est-ce pas ?… Mais vous redistribuez une partie de vos profits à de bonnes causes — ce qui signifie que vous avez quelques qualités.

— Ouf ! Quel soulagement. Sylvie ?

— Hum ?

— Qu'est-ce que ce petit jeu nous a apporté, à part des informations sans importance ?

— Pas sans importance ! Je suis convaincue qu'il faut apprendre à se connaître avant de… avant de… Avant de se connaître encore mieux, acheva-t-elle sans conviction.

Marcus éclata de rire.

— Voilà ce qui s'appelle de l'éloquence ! s'écria-t-il.

Ils étaient arrivés à Amber Street. Marcus sortit du quatre-quatre et vint l'aider à descendre. Mais, quand elle se laissa glisser du siège, il ne bougea pas. Bloquée entre la voiture et lui, elle respira profondément et s'efforça de rester digne.

— Je crois que vous savez très bien ce que je veux dire.

Il y eut un silence. Elle avait l'impression que l'air était rare et chargé de désir. Marcus la prit par la taille. Dans la pénombre, ses yeux semblaient presque noirs.

— En dépit de ce que vous semblez croire, affirma-t-il, je crois comme vous qu'il faut bien connaître quelqu'un avec qui l'on a envie d'avoir une relation plus intime.

Elle avala difficilement sa salive.

— Une relation plus intime ?

Lentement, il glissa les mains derrière la nuque de Sylvie et l'attira à lui.

— Beaucoup plus intime, confirma-t-il.

Des ondes de désir coururent en elle. Il prit possession de sa bouche et enfouit les mains sans ses cheveux. Puis il fit courir ses lèvres sur sa joue, jusqu'à l'oreille dont il mordilla le lobe sensible. Quand elle frémit, il l'enlaça plus étroitement mais elle réussit à se dérober un peu.

— Attendez…, le pria-t-elle.

— Mais je ne fais que ça. Si je m'écoutais, en ce moment, nous serions déjà dans un lit.

Comme il s'y attendait sûrement, ses paroles ajoutèrent encore à la tension. Mais Sylvie résistait.

— Je ne suis pas encore prête à coucher avec vous, Marcus.

— Ce serait plus qu'une simple coucherie. Ne rabaissez pas ce qui existe entre nous.

— Du désir, c'est tout ce qu'il y a entre nous. Mais ce n'est pas parce que vous m'attirez que…

— Il ne s'agit pas que de désir physique, vous le savez.

— Non, je ne le sais pas, affirma-t-elle, têtue. Je ne suis pas une fille facile à conquérir. Si c'est ce que vous cherchez, vous vous êtes trompé d'adresse.

— Ce n'est pas ce que je cherche, assura-t-il d'une voix grave.

— Que voulez-vous, alors ?

Un silence chargé s'installa entre eux. Sylvie aurait voulu ravaler ce qu'elle avait dit ; une fois de plus, elle avait parlé trop vite. Elle ne voulait pas lui paraître trop exigeante, ni lui demander quelque chose qu'il ne pourrait pas lui donner.

— Vous, répondit-il. C'est vous que je veux.

Il poussa un profond soupir, la lâcha et recula d'un pas.

— Je ne suis pas plus à l'aise que vous avec mes sentiments, Sylvie. Tout cela est nouveau pour moi. Pour nous deux.

Tant de franchise la désarma et lui fit chaud au cœur. Elle lui caressa la joue.

— Moi aussi, je vous veux, murmura-t-elle. Il faut seulement que… je sois sûre.

— Et moi qui vous croyais du genre impétueuse…, dit-il en l'embrassant dans le creux de la main.

Elle lui sourit, heureuse qu'ils soient parvenus à dissiper la tension.

— Peut-être que vous ne me connaissez pas si bien que cela, avança-t-elle.

— J'ai bien l'intention de faire des progrès dans ce domaine.

Sans lui laisser le temps de répondre, il passa un bras autour d'elle pour la protéger un peu du vent, et l'entraîna vers la maison. Il la raccompagna jusqu'à la porte de son appartement et la reprit dans ses bras pour l'embrasser avec fougue avant de s'écarter.

— Il faut que je m'absente ce week-end, mais je vous appellerai, promit-il.

64

4.

Le samedi, Sylvie joua au squash avec Jim, du service comptabilité, à 9 heures. Elle le battit trois fois de suite. Il prétendit que c'était à cause du manque de sommeil : sa femme et lui venaient d'avoir une fille qui leur faisait passer des nuits difficiles. Quand ils eurent fini, elle l'accompagna chez lui pour rendre une petite visite à sa femme et au bébé.

Ensuite, elle passa au supermarché, rentra chez elle et lança une machine pendant qu'elle faisait le ménage. En fin d'après-midi, elle se doucha et enfila un jean et un pull pour aller au centre commercial faire ses courses de Noël. En arpentant les allées, elle se demanda si elle devait faire un cadeau à Marcus. Ils ne se connaissaient pas vraiment depuis assez longtemps. Bah, elle allait attendre qu'on soit plus près des fêtes pour se décider. D'ailleurs, qu'offrir à un homme aussi riche et qui avait sûrement tout ? Une chambre forte ?

A peine rentrée, elle consulta son répondeur. Pas de message. Elle se répéta qu'il n'était parti que depuis ce matin pour réprimer la déception qui l'envahissait.

Le lendemain matin, elle alla à l'église et prit le bus pour aller chez Wil et Maeve. Elle déjeuna chez eux — et se régala car Wil était un véritable cordon-bleu —, puis ils passèrent l'après-midi à jouer aux cartes et à bavarder. Elle fit exprès de s'attarder pour ne pas se retrouver dans la peau des malheureuses qui restent des heures à regarder le téléphone dans l'espoir qu'il sonne.

Quand elle rentra, le voyant rouge des messages clignotait. Elle appuya sur le bouton avec une hâte qu'elle jugea ridicule. Elle avait trois messages, mais aucun de Marcus. Peut-être avait-il appelé pendant qu'elle était sortie, et n'avait pas laissé de message.

Mais son téléphone ne sonna pas de la soirée et elle finit par aller se coucher déçue et même un peu déprimée.

Il ne lui fit pas signe non plus le lundi ni le mardi. La façon dont elle se jetait sur le répondeur tous les soirs à peine rentrée chez elle lui faisait honte. Elle commença de s'inquiéter. Marcus n'était pas du genre à promettre d'appeler et à oublier sa promesse. Lui était-il arrivé quelque chose ? Sinon, il n'était pas fait pour elle, même si elle ne parvenait à penser à rien d'autre qu'à lui. Elle avait assez observé les relations amoureuses de ses amis pour savoir quand deux êtres s'investissaient également dans une relation. Et en général, dans les cas où l'engagement se faisait à sens unique, l'histoire finissait vite.

Le mercredi, le téléphone de son bureau sonna, comme il l'avait déjà fait au moins un million de fois depuis le début de la semaine. Absorbée par le sondage posé sur son bureau, elle décrocha distraitement.

— Sylvie Bennett, bonjour.

— Bonjour, répondit une voix masculine grave et douce douloureusement familière.

— Marcus ! Comment allez-vous ?

— Très bien, assura-t-il, apparemment surpris. Et vous ?

— Non. Je me suis inquiétée pour vous. J'ai eu peur qu'il vous soit arrivé quelque chose. Je n'ai pas l'habitude qu'on n'appelle pas quand on dit qu'on le fera.

Il y eut un long silence. Quand il reprit la parole, il semblait circonspect.

— Je suis désolé de vous avoir inquiétée, dit-il. Mais je ne vous avais pas dit quand j'appellerais, si ?

— Non.

En effet, c'était elle qui avait pensé qu'il l'appellerait le week-end, pendant qu'il était parti. Elle se rendit compte avec horreur qu'elle était au bord des larmes.

— Il faut que je vous laisse, annonça-t-elle brusquement. J'ai du travail.

— Attendez ! Je suis vraiment désolé, Sylvie. J'ai été très occupé. Je me rends compte que je vous ai fait de la peine. Puis-je vous inviter à dîner ce soir afin que nous en parlions ?

Sylvie, qui avait repris le contrôle de ses émotions, déclina l'invitation.

— Je ne crois pas que ça vaille la peine d'en parler. Je me suis fait des idées, et je vous prie de m'en excuser.

— Très bien. Nous n'en parlerons pas. Mais voulez-vous dîner avec moi ?

— Non, merci, Marcus. Je suis… je ne peux pas.

Elle n'en dit pas plus. Elle ne savait pas ce qui se passait, mais ce dont elle était sûre, c'était qu'elle tenait trop à lui pour entamer une relation avec un homme qui ne la voyait pas comme elle le voyait.

Marcus raccrocha lentement le téléphone et recula brusquement son fauteuil de bureau. Bon sang ! C'était vrai qu'il avait été occupé, songea-t-il, sur la défensive. Et puis ce n'était pas comme s'il lui avait promis quoi que ce soit.

Sauf que la dernière chose qu'il lui avait dite, c'était qu'il n'avait jamais éprouvé cela auparavant. Certes, mais il lui avait aussi avoué que cela le mettait mal à l'aise.

Il respira profondément pour chasser la panique qui menaçait de l'envahir. Entendre sa voix avait suffi à lui rappeler combien il avait envie d'être avec elle. D'ailleurs, ces quatre derniers jours, il avait beaucoup trop pensé à elle. Il s'était forcé à attendre, à ne pas l'appeler pour ne pas lui montrer ni se montrer qu'il avait besoin d'elle. Il s'était douté qu'elle serait un peu dépitée, comme, selon son expérience, beaucoup de femmes quand elles s'aperçoivent qu'elles ne peuvent pas tenir un homme en laisse. Mais il avait cru pouvoir se réconcilier avec elle autour d'un dîner.

Trop tard, il se rappela ce dont il aurait dû se rendre compte plus tôt. Sylvie n'était pas joueuse. Elle pensait précisément ce qu'elle disait, et réciproquement. Elle était directe. « Moi aussi, je vous veux. Il faut seulement que… je sois sûre. »

Nom de nom !

Elle lui plaisait. Elle lui plaisait vraiment beaucoup. Elle était différente de toutes les femmes qu'il avait connues et, s'il la désirait désespérément, il savait qu'il y avait plus que cela. Franchement, cela le terrifiait. Lui qui n'avait eu besoin de personne depuis son enfance ne voulait pas avoir besoin de quelqu'un aujourd'hui.

Il ferait mieux de l'oublier.

C'est alors qu'un autre souvenir s'imposa à son esprit : « Je ne… Enfin, je ne suis pas du genre à… »

Il avait été charmé par son air soucieux et le rose qui lui était monté aux joues. Etait-elle donc naïve à ce point ? Il se souvint combien il avait été surpris de la façon dont elle l'avait embrassé la première fois. Comme si elle n'avait guère d'entraînement.

Mais, sous sa tutelle, elle apprenait vite. Les battements de son cœur s'accélérèrent quand il songea à la façon adorable dont sa bouche s'était ouverte sous la sienne. Et soudain, une idée le frappa. Maintenant qu'elle avait appris à embrasser aussi bien, qu'est-ce qui l'empêcherait de répondre à un autre homme de la même façon ? Un autre pourrait le remplacer.

68

Cette pensée fit battre son cœur tout différemment. Seigneur ! Avait-il tout gâché ? Définitivement ?

Maintenant, il voyait clairement son erreur. Il avait attribué son refus de sortir avec lui à de la fausse modestie. Mais ce n'était pas cela. Elle cherchait à se protéger.

Il fit pivoter son fauteuil pour regarder par la fenêtre. Au loin, il voyait le lac embrumé. Il n'était pas près de s'avouer vaincu. Si, comme il le croyait, comme il l'espérait, elle éprouvait des sentiments pour lui, il existait un moyen de la reconquérir.

Cela lui prendrait juste un peu plus de temps que prévu.

Elle s'était un peu attendue qu'il la rappelle, qu'il cherche à la convaincre de le revoir. Mais ce qu'elle n'avait pas prévu, c'était le cadeau.

Une heure après qu'elle eut raccroché à la fin de ce qu'elle pensait être sa dernière conversation avec Marcus, un coursier lui avait apporté un petit paquet. Elle avait ouvert la boîte qui contenait une chaîne dorée ornée d'un pendentif de cristal représentant deux danseurs. Ils virevoltaient et la robe de la femme s'enroulait autour des jambes de son cavalier. Marcus savait bien ce qu'il faisait. Ce ravissant bijou lui rappelait la soirée merveilleuse, magique, qu'elle avait passée à danser dans ses bras.

Elle était partagée entre deux envies : faire irruption dans son bureau et lui envoyer son cadeau à la figure, ou rendre les armes et se jeter dans ses bras. C'était sûrement ce qu'il espérait, se dit-elle. Alors elle décida de ne rien faire du tout.

Le jeudi, un autre coursier entra dans son bureau. Il apportait une corbeille enrubannée contenant un flacon de son parfum favori ainsi qu'un lait pour le corps et des perles de bain de la même senteur. Elle tendit la main vers le téléphone pour appeler Marcus, mais se retint.

Il faut dire que ses collègues ne l'aidaient guère. Lila vint admirer le collier qu'elle fixa autour du cou de Sylvie. Et Wil annonça la nouvelle à toute la cantine — si bien que, l'après-midi, tout le monde défila dans son bureau pour admirer ses cadeaux.

Elle se refusa à tout commentaire, mais le vendredi, quand une écharpe de cachemire rouge et des gants de chevreau assortis arrivèrent de chez Chasan, une boutique de luxe de Youngsville, Lila et Wil la regardèrent comme si elle avait perdu la tête.

— Sylvie, observa Wil, un homme ne dépense pas de telles sommes pour une femme à laquelle il ne tient pas.

— Je suis devenue un défi, rétorqua-t-elle. Il a horreur de perdre. De toute façon, il a tant d'argent que c'est une goutte d'eau dans la mer. Cela ne représente pas grand-chose. Il a dû envoyer sa secrétaire acheter des babioles.

— Espèce de cynique ! lui lança Lila. Ces cadeaux ont été choisis par quelqu'un qui te connaît.

Elle avait sans doute raison, dut reconnaître Sylvie.

— En plus, ajouta son amie avec des airs de conspiratrice, Rose m'a dit que tu portais *la* broche le jour où vous vous êtes rencontrés. Tu sais ce que ça veut dire.

— Ça veut dire que vous êtes toutes folles, répondit Sylvie.

Mais elle souriait. Peut-être avait-elle été trop dure avec Marcus. Peut-être s'étaient-ils vraiment mal compris. Un malentendu.

N'empêche, songea-t-elle en se couchant ce soir-là, elle devrait bien réfléchir avant de revenir dans l'orbite de Marcus Grey. Car elle pourrait bien connaître le sort d'une comète qui se consumerait dans l'atmosphère.

Le samedi matin, elle se leva tôt et se rendit à l'épicerie avant de jouer au squash avec Jim. Ensuite, elle mit le lave-linge en route avant de s'attaquer au ménage, presque comme tous les samedis, en somme. Il lui arrivait parfois de varier, mais c'était juste pour ne pas trop se lasser.

Elle regarda l'heure et se rendit compte qu'elle ferait bien de se dépêcher. Jim et sa femme, Marietta, souhaitaient faire leurs courses de Noël cet après-midi et Sylvie avait proposé de garder leur petite fille. S'occuper d'un nouveau-né l'inquiétait un peu, mais Marietta lui avait promis qu'ils ne s'absenteraient pas longtemps et que la petite Alisa était généralement sage et facile.

Elle s'apprêtait à prendre une douche quand on sonna à la porte. C'était sûrement son amie Meredith, qui habitait l'appartement d'en dessous ou une autre de ses voisines. Elle alla ouvrir sans se presser.

C'était Marcus qui se tenait sur le seuil.

— Oh, bonjour.

Elle recula. C'était bien la dernière personne qu'elle s'était attendue à trouver sur le pas de sa porte, et cela se voyait sans doute.

— Bonjour.

Il semblait aussi déconcerté qu'elle. Elle se retint de croiser les bras quand il l'examina de la tête aux pieds en s'arrêtant plus longuement sur sa poitrine. Elle portait toujours sa tenue de sport mais avait ôté le haut, révélant son soutien-gorge de sport noir.

— Vous voulez entrer ? lui proposa-t-elle.

Il hocha la tête sans sourire. Il scrutait son visage de son regard vert perçant.

— Oui, merci.

Sylvie referma la porte derrière lui et s'y adossa. Il se retourna.

— Je n'ai pas beaucoup de temps, le prévint-elle. J'ai des projets pour cet après-midi.

Mon Dieu, songea-t-elle, elle devait être affreuse, toute débraillée et décoiffée.

— Merci pour toutes les belles choses que vous m'avez envoyées, mais je ne peux vraiment pas les accepter.

— Je ne peux pas les rendre, répliqua-t-il sèchement.

— Pourquoi ? demanda-t-elle d'une voix qui se voulait légère et égale mais qu'elle entendit trembler. Vous ne gardez pas les tickets de caisse ?

— Sylvie…

Marcus semblait chercher ses mots. Le masque de confiance en soi qu'il affichait d'ordinaire s'était un peu craquelé et elle crut lire une certaine vulnérabilité dans ses yeux, quelque chose qui la fit hésiter, et finalement écouter ce qu'il avait à dire.

— Je voudrais que vous me pardonniez de ne pas avoir appelé pendant que j'étais parti.

— Ne vous en faites pas, Marcus. Rien ne vous y obligeait…

— Si, affirma-t-il. C'était implicite. Vous méritez plus de considération que je ne vous en ai témoigné. J'ai pensé à vous, avoua-t-il en se détournant. Trop. Et… je me suis inquiété de ne plus pouvoir vous sortir de ma tête.

— Eh bien, considérez que j'en suis sortie, dit-elle tranquillement alors que son aveu lui faisait battre le cœur plus vite. Vous n'avez plus besoin de penser à moi.

— Je ne peux pas faire autrement, confessa-t-il en se raidissant. Je n'arrête pas de penser à vous. Je vous en prie, Sylvie, ne me chassez pas parce que j'ai commis une erreur. Accordez-moi une seconde chance.

Une seconde chance. Elle, justement, on lui avait accordé une seconde chance qui avait changé sa vie. Alors comment lui refuser une chance de corriger ses erreurs ? D'autant que son air contrit plaidait en sa faveur, de même que son aveu.

Elle s'autorisa à sourire.

— Ah, voilà le Marcus que je connais. Je veux ci. J'ai besoin de ça. Donnez-moi ci. Faites ça.

— Ce n'est quand même pas à ce point ! protesta-t-il en recouvrant toute son arrogance.

— Non, concéda-t-elle. Pas à ce point.

— Alors vous voulez bien sortir avec moi ce soir ?

— Je ne peux pas, dit-elle à regret. J'ai déjà prévu quelque chose.

— Que faites-vous, ce soir ? Vous sortez avec quelqu'un d'autre ?

— Oui. Enfin, pas vraiment, se reprit-elle en riant de son air consterné. Je n'ai pas pu résister à l'envie de vous taquiner. C'est plus fort que moi. Je vais skier avec un groupe de ma paroisse, expliqua-t-elle. Nous faisons ça tous les hivers. J'ai obtenu des réductions intéressantes.

— Tiens, ça ne m'étonne pas qu'on vous ait chargée des négociations. Et si je venais avec vous ? proposa-t-il soudain, les yeux brillants. J'adore le ski, même si je n'en ai pas fait beaucoup ces dernières années.

Un vif plaisir s'empara d'elle à la perspective de passer la soirée avec lui.

— Ce serait génial, à condition que cela ne vous gêne pas d'y aller en groupe.

— Je n'ai rien contre les groupes du moment que vous en faites partie.

Quatre heures plus tard, il remontait l'escalier qui menait à son appartement. Il avait laissé ses affaires de ski dans le gros quatre-quatre, mais il faisait si bon dans la maison qu'il ôta son pull.

Avant d'arriver à la porte de Sylvie, il entendit hurler un bébé. Il regarda autour de lui en se demandant de quel appartement provenaient les cris. Quand il arriva devant chez

Sylvie, les décibels augmentèrent nettement. Le bruit venait de là, comprit-il en sonnant.

Quand Sylvie lui ouvrit, il fut saisi par la force des cris que poussait le tout petit bébé qu'elle tenait dans ses bras. Avec une grimace désespérée, elle lui fit signe d'entrer.

— Mon ami Jim et sa femme avaient des courses à faire, lui expliqua-t-elle. Alisa n'a que quatre semaines et c'est la première fois qu'ils la laissent.

— Et peut-être la dernière, observa-t-il en regardant le visage écarlate du nourrisson.

— Elle allait très bien jusqu'à il y a cinq minutes. Je suis sûre qu'elle a faim mais je ne peux pas la nourrir, si vous voyez ce que je veux dire. Jim et Marietta devaient être de retour à temps pour la prochaine tétée, mais ils ont dû faire un détour pour éviter un accident. Ils ont appelé il y a un petit moment. Ils arriveront d'une minute à l'autre mais je trouve horrible de l'entendre hurler comme ça, la pauvre. Je suis folle d'avoir accepté de la garder. C'est la première fois que je m'occupe d'un nouveau-né !

C'était du Sylvie tout craché, songea Marcus. Il commençait de la connaître. Elle rendait service aux autres quitte à se compliquer la vie. Un peu comme le jour de leur rencontre, d'ailleurs. Il jeta un regard méfiant au bébé.

— Vous voulez que je la prenne ? proposa-t-il tout de même.

— Vous plaisantez ! s'exclama-t-elle en ouvrant de grands yeux. Qu'est-ce que vous y connaissez, aux bébés ?

— Pas grand-chose, mais je ne vois pas comment elle pourrait s'énerver plus.

Il tendit les bras et passa une main sous le tout petit crâne et l'autre sous le corps minuscule d'Alisa.

— Ma secrétaire a cinq petits-enfants qui passent leur temps à entrer et sortir du bureau depuis leur naissance, expliqua-t-il. Un jour, sa belle-fille a dû emmener l'avant-dernier à l'hôpital pour lui faire faire des points de suture ; Doris et moi nous sommes retrouvés avec les jumeaux de trois mois sur les bras. Ce jour-là, j'ai été forcé d'apprendre sur le tas. Alors, mademoiselle, ajouta-t-il en tenant le bébé face à lui, qu'est-ce que c'est que tout ce bruit ?

Elle s'immobilisa et s'arrêta de crier, les yeux fixés sur son visage.

— Bon, dit Sylvie un peu vexée. Allez comprendre.

— C'est l'effet de mon charme naturel, expliqua-t-il sans quitter Alisa des yeux. Ça marche à tous les coups.

— Hum, dit-elle, avant de se retourner et de prendre quelque chose qu'elle lui tendit. Tenez. Je n'ai pas pu lui faire prendre ça tant elle hurlait, mais vous y arriverez peut-être.

Il prit la tétine de caoutchouc et installa le bébé dans le creux de son bras. Alisa couinait et se tortillait ; elle n'allait pas tarder à se remettre à hurler. Marcus lui présenta la tétine en effleurant doucement ses petites lèvres roses et en lui parlant à mi-voix.

— Là… Tiens… Ce n'est pas aussi bon que ta maman, mais c'est tout ce que nous avons…

A son grand soulagement, le bébé prit la tétine et se mit à la sucer vigoureusement, sans le quitter des yeux.

— Alors, dit-il à Sylvie sur le même ton bas et caressant qu'il avait adopté pour parler à la petite fille, comment se fait-il que vous n'ayez pas l'habitude des bébés ? Je croyais que toutes les adolescentes faisaient du baby-sitting.

— C'est un cliché. J'ai été élevée dans un orphelinat où nous étions groupés par âge, et je vous ai dit qu'ensuite, à l'époque où j'étais en famille d'accueil, je n'étais vraiment pas facile. Qui aurait voulu de moi pour s'occuper de ses enfants ?

— Mais vous êtes rentrée dans le droit chemin.

— Pas avant mes seize ans. Et, à l'époque, je me trouvais dans un internat pour prédélinquants. Ce n'est pas le genre d'endroit où les parents viennent recruter des baby-sitters.

Marcus hocha la tête. A l'évidence, Sylvie avait eu une enfance vraiment sinistre. Sur quoi le bébé poussa un cri et Marcus lui accorda de nouveau toute son attention. Il se remit à le bercer en lui parlant.

— Allons, ma puce... tu es une belle petite fille, une adorable petite fille...

Et il poursuivit sa mélopée, conscient que, à chaque interruption, Alisa cessait de sucer sa tétine et menaçait de se remettre à pleurer.

Sylvie s'affairait dans la pièce, ramassant les couvertures, couches et autres affaires éparses qu'elle rangeait dans le grand sac posé sur sa table de salle à manger.

— Merci, dit-elle. Je ne pensais pas avoir de problème, mais, comme je vous l'ai dit, mes amis vont revenir un peu plus tard que prévu.

Au même instant on sonna à la porte. Sylvie courut littéralement ouvrir. Une petite jeune femme assez ronde entra et s'approcha aussitôt de Marcus.

— Bonjour ! lui dit-elle. Je suis Marietta. J'espère qu'elle n'a pas été trop difficile ; nous nous sommes retrouvés coincés dans les bouchons.

— Elle commençait à en avoir assez, reconnut Sylvie. Elle en était à essayer de manger mon chemisier quand Marcus est arrivé. Il sait y faire avec les femmes, même les plus jeunes, apparemment, ajouta-t-elle d'une voix dépitée que démentait son sourire.

Marcus rendit à Marietta sa fille qui se mit à s'agiter dès qu'elle la reconnut. Marietta le remercia d'un sourire distrait.

— Ça t'ennuie si je la nourris ici avant de partir ? demanda-t-elle à Sylvie. Sinon, elle risque de hurler durant tout le trajet.

— Pas du tout, assura Sylvie. Va dans ma chambre, si tu veux.

Marietta hocha la tête et se hâta de la suivre dans la pièce qu'elle lui indiquait. Marcus se rendit compte qu'un homme était aussi entré dans l'appartement. Il devait s'agir de Jim, devina-t-il.

— Désolée, dit Sylvie en revenant, je ne vous ai pas présentés. Marcus, voici Jim Marrell. Jim, Marcus Grey.

Jim tendit lentement la main, comme hébété.

— Je vous reconnais…

— Marcus se joint à mon club de ski, ce soir, expliqua-t-elle joyeusement. J'espère avoir l'occasion de le pousser dans un ravin avant qu'il ne ferme Colette.

— Sylvie ! s'écria Jim, horrifié. Elle plaisante, M. Grey. Elle voulait dire…

— Je comprends fort bien que vous vous inquiétiez tous pour Colette. Rien de plus normal. Est-ce là que vous vous êtes connus, tous les deux ?

Il s'occuperait de Sylvie plus tard, décida-t-il. La peste ! Elle le mettait sur la sellette quand elle savait qu'il ne réagirait pas.

— Oui, confirma-t-elle, nous travaillons ensemble.

— Enfin, pas tout à fait ensemble, précisa Jim. Je suis à la comptabilité et Sylvie au marketing. Nous nous sommes rencontrés à la fontaine à eau.

Comme un silence s'installait, il regarda dans le couloir et déclara :

— Je vais aller voir si Marietta n'a besoin de rien. Je reviens tout de suite.

En prenant soin d'éviter Marcus, il emprunta le petit couloir et disparut dans la chambre où sa femme s'était installée.

Sylvie jeta un regard interrogateur à Marcus.

— Que lui avez-vous dit pendant que j'étais avec Marietta ? lui demanda-t-elle.

— Rien.

— Alors pourquoi se conduit-il comme si vous étiez le Grand Méchant Loup et moi le Petit Chaperon rouge ?

— Si tout le monde dans votre entreprise répète les histoires que vous m'avez balancées à la figure, il doit croire qu'il va perdre sa place s'il me malmène... contrairement à quelqu'un que je connais.

Sylvie lui adressa un sourire angélique en guise de réponse.

— Je vais chercher mes affaires et nous pourrons y aller, proposa-t-elle. Jim et Mari n'auront qu'à fermer en partant.

Pour la première fois depuis son arrivée, il remarqua les skis et le matériel appuyés à un mur de l'entrée.

— Je vais descendre ça pendant que vous leurs dites au revoir, suggéra-t-il.

— Très bien. Je vous retrouve dans le parking.

En descendant l'escalier, il sourit du rouge vif des skis. Cela ne l'étonnait pas du tout que Sylvie ait choisi cette couleur pour dévaler les pentes. Elle n'était pas du genre à passer inaperçue. Distrait par le bébé, il n'avait même pas pensé à lui dire comme le rouge lui allait bien. D'ailleurs, il l'avait déjà remarqué lors de leur première sortie... Elle était séduisante, attirante au-delà des mots.

Du coup, il se rappela leur entrevue de la veille. Il avait dû la surprendre au retour d'une séance de sport. A l'évidence, elle n'attendait personne. Et, quand elle l'avait trouvé à la porte, elle avait paru surprise.

Lui aussi avait dû faire un effort pour parler. Quelques mèches soyeuses s'échappaient de sa queue-de-cheval autour de ses oreilles et le long de sa nuque. Elle portait un survêtement moulant avec des fermetures Eclair le long des jambes et de bonnes tennis solides. Mais c'était la petite brassière qu'elle portait en haut qui l'avait tant troublé. On était en décembre, tout de même ! Que faisait-elle dans une tenue aussi légère ? Apparemment, elle n'avait pas froid, cela dit. Ses longs bras musclés étaient d'une belle couleur dorée qui devait être naturelle car elle n'avait sûrement pas eu l'occasion de s'exposer au soleil ces derniers temps, et il ne voyait pas comment elle tiendrait en place assez longtemps pour se soumettre à des séances d'UV ! Son buste presque nu était mince, sans la moindre graisse superflue. Cependant, les deux globes fermes qui tendaient le Stretch de son petit haut laissaient deviner qu'elle avait tout de même des formes là où il fallait. Elle éveillait en lui un désir, un émoi des plus agaçant, et il avait eu toutes les peines du monde à ne se concentrer que sur son visage et à éviter de se jeter sur elle pour la dévorer comme il en avait envie.

Mais, à son attitude, il avait compris qu'il était tout juste toléré, et que, s'il ne parvenait pas à se tirer du guêpier dans lequel il s'était fourré, il ne la reverrait sans doute jamais en dehors du bureau. Il ne voulait pas envisager cette éventualité, et moins encore le besoin qu'il avait de faire la paix avec elle.

Il finissait tout juste de ranger ses affaires dans le coffre quand elle sortit de la maison et le rejoignit. Elle portait un anorak rouge sur un pull à motifs rouges et noirs. Quand elle s'approcha de lui, il vit pétiller son regard.

— Mission accomplie ! s'exclama-t-elle. En route pour les pistes !

Skieuse passionnée et, quoi qu'elle en dise, naturellement douée pour le sport, Sylvie se débrouillait presque aussi bien que lui. Et, si elle avait eu comme lui l'occasion de pratiquer depuis l'âge de quatre ans, elle le ridiculiserait certainement. Quand il lui avait posé la question, tout à l'heure, elle lui avait révélé qu'elle n'avait commencé de skier que quelque temps après être entrée chez Colette. Ce qui n'était pas étonnant vu son histoire.

Ils passèrent toute la fin de journée sur les pistes, s'aventurant même plusieurs fois sur des « noires ». Apparemment, le groupe n'était pas très soudé, d'autant que certains nouveaux membres encore inexpérimentés s'en tenaient aux pistes « vertes ». Pourtant, Sylvie prit soin d'aller saluer tout le monde, non sans entraîner Marcus à sa suite pour les présentations d'usage.

Mais ce qu'il préféra, ce furent les remontées en télésiège. Un bras passé autour des épaules de Sylvie, il l'écoutait bavarder, sans parvenir à se concentrer sur ce qu'elle disait. Car il était captivé par ses jolies lèvres et pensait surtout à la prochaine fois qu'il aurait la chance de l'embrasser. Les joues rosies par le grand air, les yeux brillant d'excitation, elle lui racontait ses premières sorties sur les pistes. Et, quand il descendait derrière elle, quel régal de voir onduler son corps souple et danser ses boucles noires sur ses épaules ! Existait-il au monde une plus jolie femme ?

— Je crois que j'ai mon compte pour ce soir…, finit-elle par dire.

Ils rangèrent donc leur matériel et Marcus lui proposa d'aller boire un verre avant de rentrer. Ils allèrent au petit bar situé au-dessus de la boutique de location de skis.

Ils burent un chocolat chaud à une petite table, dans une alcôve près de la fenêtre. Marcus attira la chaise de Sylvie à côté de la sienne, dos à la salle, et lui passa un bras autour des épaules.

— Ça m'a fait vraiment très plaisir de skier avec vous. Il faudra que nous recommencions.

— J'essaie d'y aller presque tous les samedis, raconta-t-elle.

Il nota avec plaisir qu'elle ne s'écartait pas et qu'elle ne lui signifiait d'aucune façon qu'elle n'avait pas envie qu'il la touche… ce qui tombait bien puisqu'il avait la ferme intention de ne pas la lâcher.

— Sans chevalier servant ?

Il n'essayait même plus de dissimuler le désir qui le consumait. Il était si près d'elle que son souffle faisait danser les mèches folles sur ses tempes.

— En général, non. Je n'ai guère eu de temps à consacrer aux hommes, jusque-là.

— Et maintenant ? s'enquit-il en s'approchant encore.

Elle lui glissa un regard timide de sous ses longs cils.

— Et maintenant… ? reprit-elle.

— Oui, maintenant que vous avez un homme dans votre vie…

Il lui effleura les lèvres du bout des doigts, à défaut de pouvoir l'embrasser, ce dont il avait terriblement envie. Mais ce n'était ni le moment ni le lieu. Le souvenir des baisers qu'ils avaient échangés suffisait encore à le troubler, alors, s'il cédait à la tentation de l'embrasser, il craignait bien que cela ne lui fasse perdre la tête.

— Marcus ? appela une voix d'homme. Marcus Grey ?

Il laissa retomber sa main et le halo de sensualité dans lequel il baignait se dissipa.

Il se leva mécaniquement vers l'homme trapu aux cheveux gris et au teint rubicond qui s'était approché de leur table.

— Bonjour. Je suis désolé… Je ne crois pas… Solly ! Cela fait si longtemps ! Comment allez-vous ?

— Très bien, répondit ce dernier en riant. Je t'ai vu entrer, mais je n'étais pas sûr que ce soit toi.

Marcus s'éclaircit la gorge.

— Eh si ! C'est bien moi. Que faites-vous ici ? Vous vous êtes mis au ski ?

— Sûrement pas ! J'attends ici que ma petite-fille et ses amis aient fini de skier. Depuis que j'ai pris ma retraite, je suis devenu le chauffeur de la famille Sollinger.

— Votre famille va bien ? s'enquit Marcus en souriant.

— Les deux filles sont mariées et nous ont donné quatre petits-enfants. Ma femme est aussi à la retraite.

— Et je parie qu'elle vous occupe !

Les deux hommes rirent de bon cœur. Sur quoi Marcus se rappela ses bonnes manières et se tourna vers Sylvie.

— Sylvie, dit-il, voici Earl Sollinger. Solly, Sylvie Bennett.

— Bonjour, monsieur, dit-elle en lui tendant la main.

— Bonjour, mademoiselle, répondit Solly avec un grand sourire. Oh, mais j'espère que je n'interromps rien d'important, ajouta-t-il en les regardant tour à tour d'un air interrogateur.

— Absolument rien, assura Sylvie en rougissant et en évitant le regard de Marcus. Voulez-vous vous joindre à nous ?

— Non, non. Je voulais juste dire un petit bonjour. En souvenir du bon vieux temps.

Le regard de Marcus croisa celui de Solly qui était chargé de souvenirs et de vieilles peines. Il se retrouva projeté dans son enfance, à l'époque où sa famille avait été si cruellement ébranlée.

— J'ai été heureux de vous revoir, Solly. Après toutes ces années…

C'était un demi-mensonge. Le plaisir de ces retrouvailles s'était déjà dissipé.

— Moi aussi. Salue ta mère de ma part.

Sur quoi Solly tourna les talons. Marcus se rassit et serra sa tasse de chocolat entre ses mains, comme si sa chaleur pouvait faire fondre la glace qui lui étreignait le cœur.

— Marcus ?

Il tourna la tête. Sylvie le regardait d'un air soucieux.

— Ça va ? lui demanda-t-elle.

— Oui, oui.

Il sursauta quand elle posa la main sur sa nuque et se mit à le masser doucement.

— On ne dirait pas. Est-ce de revoir M. Sollinger qui vous a bouleversé ?

Il haussa les épaules.

— Non. Non, pas vraiment.

Elle se tut. Mais le silence qui s'établit entre eux n'était pas chaleureux. Le bavardage des autres clients et les lumières étaient soudain devenus trop forts, importuns. Comment se faisait-il qu'il ne l'ait pas remarqué tout à l'heure ? Là-bas, sur les pistes éclairées par de gros projecteurs, les skieurs ressemblaient à de minuscules poupées dévalant les pentes enneigées.

— Vous voulez y aller ? proposa Sylvie sans cesser de lui masser la nuque.

Une fois de plus, il eut l'étrange impression qu'elle lisait dans ses pensées.

— Oui, répondit-il. Si vous êtes prête.

Peut-être ne voulait-il pas se l'avouer à lui-même, d'ailleurs. Peut-être avait-il besoin de quelqu'un à qui parler pour prendre conscience de ses sentiments. Elle voulait être cette personne, songea-t-elle la gorge serrée. Mais serait-il prêt à se confier ?

Il ne lui avait pas caché qu'il avait envie de coucher avec elle. Le souvenir des baisers passionnés qu'ils avaient échangés continuait de faire battre son cœur plus fort. Sauf que… sauf qu'il n'avait eu aucun mal à l'oublier quand il s'était absenté. Certes, il lui avait dit qu'il avait pensé à elle, et elle avait envie de le croire. A vrai dire, elle le croyait, mais… mais on l'avait déjà oubliée auparavant. Et pour toujours. Alors elle avait beau savoir qu'il était injuste de juger tout le monde à l'aune de son enfance malheureuse et solitaire, un petit doute ne laissait pas de subsister dans son esprit.

Elle ne savait pas trop ce que Marcus attendait de leur relation et encore moins jusqu'où il comptait la mener. D'ailleurs, elle était presque sûre qu'il ne le savait pas non plus. Il suffisait d'entendre le peu d'enthousiasme avec lequel il lui avait avoué qu'il ne parvenait pas à cesser de penser à elle. A cette pensée, elle dissimula un petit sourire. Alors, comme cela, il ne parvenait pas à la chasser de son esprit ?

Tant mieux, parce que, pour sa part, elle pensait à lui tout le temps. Elle avait envie de mieux le connaître. Jusque-là, elle n'avait jamais connu d'homme auquel elle tînt un tant soit peu, ni même qu'elle eût envie de mieux connaître. Elle avait mobilisé toutes ses forces pour gravir les échelons de la carrière qu'elle avait choisie. Sa stratégie s'était révélée payante et elle avait opéré une belle ascension dans les rangs de Colette jusqu'à son poste actuel de directrice adjointe du marketing.

Mais voilà qu'elle en voulait plus. Elle voulait Marcus. La question à un million de dollars était : pourquoi le voulait-elle ? Malgré son manque d'expérience, elle devinait que, si elle voulait du plaisir à en perdre la tête, il était l'homme qu'il lui fallait. Cette idée suffit à faire courir de petits frissons de désir dans tout son corps.

C'était déjà quelque chose. Si leur relation allait plus loin, le sexe en ferait partie. Mais… tout au fond d'elle une lueur d'espoir lui faisait peur et l'attirait tout à la fois. Pas question de songer à un mot commençant par A, se dit-elle. Car les chances qu'un homme comme Marcus Grey tombe a… s'attache sérieusement à une femme comme elle étaient presque nulles. Quoi que Lila, Rose et ses autres amies puissent penser du fait qu'elle ait porté la fameuse broche le jour de leur rencontre.

Cela dit, il n'était pas totalement déraisonnable d'espérer la fidélité et un engagement réel le temps que durerait leur relation, si ? Bien sûr que non. Et il était grand temps qu'elle cesse de se concentrer exclusivement sur sa carrière et qu'elle s'intéresse enfin au pan personnel de sa vie. Cet intermède avec Marcus ferait un très bon début. Tout ce qu'il fallait, c'était qu'elle fasse en sorte que sa vie ne soit pas détruite quand il partirait — car il partirait, elle en avait la certitude. Mais avait-elle besoin d'un homme dans sa vie ?

— Vous êtes bien silencieuse, observa-t-il. A quoi pensez-vous ?

Elle sursauta.

— Je me demandais simplement pourquoi vous aviez l'air si sombre, tout à coup.

Un long silence s'établit dans la voiture. Sylvie regardait Marcus dont le profil était tantôt fondu dans l'ombre et tantôt souligné par les lumières de la ville.

Au bout d'un long moment, il poussa un soupir.

— Solly était le meilleur ami de mon père.

— Ah. Alors maintenant, vous pensez à votre père, conclut-elle, ridiculement heureuse qu'il se fût confié à elle. J'imagine que, si j'avais connu mes parents, ils m'auraient manqué terriblement quand ils auraient disparu. Je suis vraiment désolée.

— Ce n'est pas cela, répliqua-t-il les dents serrées. Enfin, si, je veux dire, mon père me manque. Mais… Bon sang, je voudrais qu'il puisse voir ce que j'ai fait de ma vie. Vous comprenez ?

— Il est vrai que vous avez très bien réussi, financièrement.

Etait-ce ce qu'il voulait dire ?

— Oui. Vous savez ce qui m'est arrivé aujourd'hui ?

— Non ?

— J'ai été sollicité, par quelqu'un dont je tairai le nom car vous le reconnaîtriez tout de suite, pour me lier à sa famille par un mariage.

— Mais qui donc ? demanda Sylvie en secouant la tête en signe d'incompréhension. Oh, mon Dieu… Vous voulez dire que quelqu'un comme Rockefeller ou Hearst vous aurait proposé d'épouser sa fille ?

— Sa petite-fille, corrigea Marcus le plus sérieusement du monde.

— Mon Dieu, dit-elle, effondrée. Et moi qui croyais que les mariages arrangés étaient une pratique révolue.

— Il faut croire que non.

— Bon. Donc, on vous a demandé en mariage aujourd'hui. Mais quel est le rapport avec votre père ?

Pour la première fois depuis qu'ils avaient quitté la station de ski, un sourire amusé dansa sur les lèvres de Marcus.

— Vous, on peut dire que vous savez relativiser les choses, Sylvie, commenta-t-il.

Il coupa le moteur et elle eut la surprise de découvrir qu'ils étaient garés derrière chez elle. Attentive uniquement à Marcus, elle n'avait même pas remarqué où ils se trouvaient. C'était quelque peu déstabilisant.

— Voulez-vous monter ? lui proposa-t-elle. J'aimerais bien finir cette conversation.

Il la fixa, et le ton de sa voix quand il répondit la fit frémir.

— Avec le plus grand plaisir.

5.

En l'invitant à monter, elle avait peut-être commis une erreur, songea Sylvie.

Elle rapporta deux verres de vin dans son petit salon où Marcus s'était déjà installé sur le canapé.

— Tenez, dit-elle en lui tendant un verre. C'est un pinot noir californien que mon patron m'a offert pour mon anniversaire. Il s'y connaît bien en vins et m'a dit qu'il l'aimait beaucoup.

— Et vous, qu'en dites-vous ? lui demanda Marcus paresseusement avant de humer le liquide rubis.

Elle haussa les épaules en souriant.

— J'en sais à peu près aussi long sur le vin que sur les bébés.

— Ah. Donc il ne faudra pas que je vous confie la carte des vins lors de notre prochain dîner — qui aura lieu très bientôt.

— Ne vous inquiétez pas. Je connais mes points forts comme mes faiblesses.

Cette phrase semblait plus provocante qu'elle ne l'avait voulu et elle vit les yeux verts de Marcus étinceler quand il se pencha vers elle.

— Pourrais-je devenir une de vos faiblesses, Sylvie ?

Elle ne parvint pas à se détourner. C'était comme si leurs regards étaient aimantés l'un à l'autre.

— C'est possible. Mais je vous préviens, je n'ai pas la réputation de céder à mes faiblesses.

Il lui adressa un sourire carnassier qui la fit frissonner.

— Ça me va. J'aime bien les défis.

Cette phrase déclencha une espèce de sonnette d'alarme en elle.

— Marcus, je ne veux pas être considérée comme un défi, rétorqua-t-elle en se levant et en allant à la fenêtre. C'est ainsi que vous voyez vos relations avec les femmes ? Comme des défis à relever ?

Le silence qui s'ensuivit était presque palpable, tout comme l'énergie que rassemblait Marcus pour regagner le terrain perdu. Elle entendit qu'il se levait, puis le bruit de ses pas étouffé par le tapis. Et soudain il fut juste derrière elle.

— Je ne vous vois pas comme un défi, assura-t-il, mais comme une femme belle et désirable que j'aime apprendre à connaître et que j'aimerais connaître encore mieux. N'essayez pas de trop compliquer cela, conclut-il en posant les mains sur ses épaules pour lui masser doucement la base du cou.

— Mais *c'est* compliqué ! protesta-t-elle avec véhémence en se tournant face à lui. Vous allez fermer une entreprise à laquelle je suis très attachée.

— Ce sont les affaires, expliqua-t-il en la prenant par la taille. Tandis que ceci, non, acheva-t-il avant de prendre possession de ses lèvres et de l'attirer contre lui.

— Tout est mélangé, eut-elle juste le temps d'objecter.

Il était parvenu à éviter de parler de ses sentiments, constata-t-elle l'espace d'un instant. Mais le baiser qu'il lui prodigua ressemblait à une tendre bataille et, à force de conviction, il sapa sa détermination à ne pas se laisser fourvoyer.

Elle était incapable de lui résister. Ce fut la dernière chose à laquelle elle pensa avant de céder à la passion contenue dans son baiser. Elle noua les bras autour de son cou. Quand il l'embrassa plus profondément et glissa la langue entre ses lèvres, elle laissa échapper un gémissement et s'ouvrit à lui.

Des sentiments complexes, contradictoires l'envahirent. Il serait très facile, trop facile de devenir dépendante de cet homme comme d'une drogue, et de se réveiller un matin en découvrant qu'elle avait *besoin* de lui, que sa vie ne serait pas complète sans lui.

Cette idée la tira de son plaisir. Elle se détacha du cou de Marcus et plaqua les mains sur son torse pour le repousser. Elle quitta ses lèvres et tourna la tête, mais il continua de l'embrasser sur le visage et dans le cou.

— Attendez, Marcus, lui enjoignit-elle en essayant d'échapper à son étreinte. Attendez.

Elle respirait aussi fort que si elle venait de courir un sprint. Lui ne valait guère mieux. Au bout d'un long moment de tension au cours duquel elle se demanda s'il allait la libérer, il leva les deux mains en signe de reddition.

— D'accord. J'attends. Qu'est-ce qu'il y a ?

Elle prit une profonde inspiration.

— Asseyons-nous, suggéra-t-elle.

En silence, il retourna à côté du canapé et attendit qu'elle se fût assise pour en faire autant. Sylvie se tourna vers lui.

— Marcus, commença-t-elle, hésitante. Ce n'est pas que cela ne me plaise pas quand nous… nous embrassons. Au contraire. Ça me plaît peut-être trop. Je vous ai déjà dit que je n'étais pas le genre de fille qu'il vous fallait pour une liaison rapide et facile. Pour moi, il est essentiel que nous nous connaissions bien avant de…

— De faire l'amour ?

90

Elle lui jeta un regard réprobateur mais ne put retenir le petit rire qui lui échappa.

— Avant de devenir intimes, oui.

Il se pencha en avant et lui prit les mains.

— Sylvie, j'ai envie de faire l'amour avec vous. Je ne m'en cache pas. Mais je ne veux exercer aucune pression sur vous. Dites-moi ce que vous croyez que vous voulez. Dites-moi ce dont vous avez besoin venant de moi.

— Du temps, répondit-elle simplement. Je ne peux pas me presser, même si j'en ai très envie. Car j'en ai très envie, assura-t-elle doucement en le regardant dans les yeux.

— Du temps, répéta-t-il en s'affaissant contre le dossier et en regardant sa montre. Combien de temps ? Une heure ? Un jour ? demanda-t-il en souriant.

— Je saurai quand le moment sera venu. Il faut que vous me fassiez confiance.

— A propos de confiance, observa-t-il en se levant, il vaudrait mieux que je m'en aille d'ici pendant que j'en suis encore digne.

Il lui prit la main et l'aida à se lever, puis il la serra contre son côté pour se diriger vers l'entrée.

— Nous pourrions dîner ensemble, demain ? lui proposa-t-il.

Elle réfléchit quelques instants.

— Après 18 heures ? J'ai des choses à faire l'après-midi.

— Après 18 heures, alors, confirma-t-il en la regardant intensément comme pour essayer de lire dans ses pensées. Vous pourrez me raconter ce que vous avez fait de votre journée.

— D'accord, si vous en faites autant, repartit-elle du tac au tac.

— Marché conclu, dit-il en enfilant son blouson. Je ne vais pas vous embrasser, sinon je ne suis pas sûr de pouvoir m'arrêter. Je passe vous prendre vers 18 heures, demain.

Elle hocha la tête.

— Merci d'être venu avec moi ce soir.

— Merci de m'avoir permis de m'inviter, répondit-il en souriant.

Ce ne fut qu'après son départ qu'elle se rendit compte que, une fois de plus, il était parvenu à éviter de lui dire quoi que ce soit d'important sur lui.

Noël approchait et, cette année, elle s'était laissé prendre de vitesse. Entre le projet de reprise de Colette contre lequel elle luttait et l'organisation de la vente aux enchères de célibataires qu'elle avait aidé à organiser pour faire la promotion de l'entreprise et récolter des fonds pour un orphelinat de Youngsville, elle avait été si occupée qu'elle n'avait encore rien fait. D'ordinaire, au moment de Thanksgiving, elle avait déjà écrit et timbré ses cartes de vœux qui étaient prêtes à être postées le 1er décembre. Cette année, elle en était réduite à les rédiger à l'heure du déjeuner.

Mais aujourd'hui, c'était le jour des cookies. Chaque année, elle en faisait pour les offrir à Noël à ses amis. Au moins six variétés différentes. Elle avait déjà fait la pâte classique des cookies aux pépites de chocolat des semaines plus tôt, et l'avait congelée ; aujourd'hui, il ne lui restait qu'à ajouter les M&M's rouges et verts des fêtes qu'elle utilisait à la place des pépites. Elle s'occuperait du reste pendant que cette première fournée cuisait.

Pendant le préchauffage du four, elle graissa les plaques à pâtisserie et mit quatre étages de biscuits à cuire. Puis elle prépara la pâte des cookies au beurre de cacahouète, très faciles à faire et qui remportaient toujours un franc succès. Wil, son patron, la suppliait chaque année de lui en donner un peu plus.

Vinrent ensuite les cookies moelleux saupoudrés de sucre et garnis en leur centre d'une perle de chocolat, puis les friandises aux marshmallows et au riz soufflé, pour lesquelles elle employait des colorants alimentaires verts et rouges, qu'elle fit cuire sur le gaz pendant que la seconde fournée de biscuits était dans le four. Elle aurait voulu faire aussi les cookies aux noix et aux raisins secs, mais elle n'aurait pas le temps de tout finir avant que Marcus vienne la chercher.

Elle regrettait presque d'avoir accepté de sortir avec lui ce soir… Non, ce n'était pas vrai. Chaque fois qu'elle pensait à lui, son cœur battait plus vite. A 17 h 30, elle sortit les derniers cookies au sucre du four et les mit à refroidir sur une grille. Le petit plan de travail et sa table de cuisine en étaient entièrement couverts. Heureusement qu'elle n'avait pas de chien…

Un jour…, songea-t-elle en allant se déshabiller dans sa chambre pour prendre une douche rapide. Un jour, elle aurait un chien. Un grand chien qui renverserait tout en remuant la queue, mais qui aimerait les enfants et se laisserait martyriser par eux sans broncher, et qui s'installerait sous la table dans l'espoir de voir de la nourriture tomber lors des repas familiaux animés. Elle avait toujours du mal à se représenter la vie de famille, mais voilà qu'une image très nette s'imposa à son esprit : Marcus, la veille, tenant dans ses grandes mains adroites le bébé de Jim, et parvenant à le calmer.

Une douce chaleur l'envahit. Il lui avait semblé si… bien. Elle l'avait cru quand il lui avait dit avoir aidé sa secrétaire à s'occuper de ses petits-enfants parce qu'aucun homme ne pouvait être aussi à l'aise avec un bébé s'il ne s'en était jamais occupé. Combien d'hommes dans sa situation auraient été

assez souples — et assez ouverts — pour faire cela ? Zut !
Elle s'était préparée à le haïr, à le mépriser, mais dès le début
il avait fait chanceler sa détermination en la séduisant sur
trop de plans différents.

Non, non et non ! Elle secoua la tête si violemment que sa
barrette s'ouvrit et ses cheveux lui tombèrent sur les épaules.
Elle poussa un cri et se hâta de couper l'eau avant de les
avoir trempés. « Tu vois ? se morigéna-t-elle. Marcus Grey est
mauvais pour toi. Mauvais, mauvais, mauvais. Très mauvais.
Tu peux t'amuser avec lui, mais tu n'as pas intérêt à prendre
cette relation au sérieux. »

L'ennui, songea-t-elle en enfilant son collant et sa robe-
manteau de soie bordeaux, c'était qu'elle cherchait quelqu'un
pour compléter la vie qu'elle s'était construite en rêve. Elle
n'était pas idiote ; elle savait bien que, plus ou moins cons-
ciemment, elle voulait une seconde chance, une chance de
recréer une enfance normale à travers les enfants qu'elle aurait,
des enfants qui seraient souhaités et aimés. Mais Marcus ne
pouvait pas jouer ce rôle. Si ?

Subitement, la broche d'ambre que Rose lui avait prêtée
envahit ses pensées. Jayne, Lila et Meredith la portaient toutes
les trois quand elles avaient rencontré l'homme de leur vie.
Tout comme elle-même l'avait portée le jour de sa rencontre
avec Marcus. Y aurait-il là une forme de magie… ? Allons,
c'était ridicule.

Bien sûr que c'était impossible. Il s'agissait d'une simple
coïncidence. Et, dans son cas, c'était uniquement parce que
Marcus était le premier homme auquel elle eût jamais ouvert
son cœur. Longtemps, elle s'était protégée, et ce n'était que
maintenant qu'elle commençait d'émerger du cocon dans
lequel elle s'était enfermée avec ses émotions. Marcus
s'était juste trouvé au bon moment au bon endroit. Il était si
différent d'elle qu'ils n'avaient aucune chance de se retrouver

à mi-chemin. Pas pour la vie, en tout cas, songea-t-elle dans un soupir. Puis elle haussa les épaules. Elle ne pouvait pas changer de passé, mais elle allait profiter du temps qu'elle passerait avec lui tant que cela durerait. Elle soignerait son cœur blessé plus tard.

Elle retourna dans la salle de bains, se maquilla à la hâte et alluma le sèche-cheveux. Elle était juste à l'heure. La sonnette retentit à l'instant où elle enfilait ses escarpins.

Au moment où elle allait ouvrir, la broche attira son regard. Cédant à une impulsion, elle l'agrafa à son revers. Seulement parce qu'elle allait très bien avec cette robe. Mais, dès demain, elle prendrait le temps de la rendre à Rose.

Quand elle ouvrit la porte, Marcus émit un long sifflement admiratif. Elle s'effaça pour le laisser entrer pendant qu'elle mettait son manteau.

Elle le trouvait plus beau chaque fois qu'elle le voyait. Ce soir, il était rasé de frais et ses cheveux épais ondulaient là où ils avaient échappé à la discipline du peigne.

— Oh ! s'écria-t-il. Vous êtes divine…

Puis il renifla en faisant une drôle de mimique.

— C'est quoi, cette odeur ? s'enquit-il.

— Quelle odeur ?

— Des cookies, dit-il en se dirigeant vers la cuisine. Je suis au paradis.

Sans attendre qu'elle le lui propose, il saisit un cookie au beurre de cacahouète sur le bord du comptoir et mordit dedans.

— Hmm…

De sa main libre, il l'attira contre lui sans qu'elle puisse protester, et lui sourit.

— Un délice ! commenta-t-il. Vous en voulez une bouchée ?

— Non et, si vous en mangez un de plus, je ne vous en donnerai pas pour Noël, le prévint-elle.

Son cœur battait bien trop vite et elle avait du mal à respirer. Elle s'était apprêtée à lui dire bonjour, pas à se retrouver plaquée contre lui comme une poupée de chiffon. Son corps était collé au sien. Quand elle voulut se dégager, il glissa pratiquement une jambe entre les siennes. Il braqua une nouvelle fois sur elle le laser de ses yeux verts.

— Bonjour, murmura-t-il en lui caressant la joue. Vous m'avez manqué.

Elle fut sidérée, autant par son geste tendre que par ses paroles. Lui avait-elle vraiment manqué ?

— Vous m'avez vue, hier soir, objecta-t-elle en s'efforçant d'adopter un ton détaché.

— Je sais.

Une petite ligne verticale se creusa entre ses épais sourcils. Il la libéra et se retourna, et elle eut l'impression très nette que, à cet instant, son humeur avait changé.

— Vous êtes prête ? lui demanda-t-il.

Il restait courtois et amical, mais toute trace de chaleur et d'intimité avait disparu de sa voix.

— Oui, si vous êtes sûr d'avoir encore envie de sortir avec moi, répondit-elle en relevant le menton.

Il prit son manteau qu'elle avait posé sur le dossier du siège le plus proche de la porte.

— Bien sûr que j'ai encore envie de sortir avec vous, affirma-t-il en souriant.

Elle n'était pas loin de croire qu'elle avait imaginé son brusque retrait, mais une espèce de vigilance qu'elle lut au fond de son regard lui apprit qu'elle ne s'était pas trompée.

— Attendez, le pria-t-elle. Il faut que je range ces cookies.

— Je vais vous aider.

— Sûrement pas ! protesta-t-elle en riant. Vous les mangeriez. Alors, vous restez là, ordonna-t-elle en désignant le salon, et je m'en occupe.

Elle le rejoignit et enfila son manteau qu'il lui présentait, et ils sortirent.

Durant tout le trajet jusque chez Crystal, le restaurant français où il avait réservé une table dans une alcôve près de la grande cheminée, il fut aimable et charmant. Impossible d'aborder le sujet de son brusque changement d'humeur sans lui demander de but en blanc ce qui n'allait pas. Or elle commençait de bien connaître ses manœuvres pour esquiver les questions personnelles. Quand il n'avait pas envie de parler de quelque chose, Marcus pouvait se révéler redoutablement rusé.

— Je crois deviner ce que vous avez fait aujourd'hui, remarqua-t-il quand ils eurent pris place à table et commandé une bouteille de bourgogne rouge. Ce que je voudrais savoir, c'est pourquoi une jeune femme célibataire fait autant de cookies…

— Vous me croiriez si je vous disais que je n'en fais qu'une fois par an et que je les congèle ?

Il rit en guise de réponse.

— J'en fais tous les ans, expliqua-t-elle. C'est ce que j'offre à beaucoup de mes amis pour Noël. J'en fais de six ou sept sortes différentes et je les emballe en assortiments d'une ou deux douzaines.

— C'est beaucoup de travail, non ?

— Pas plus que les redoutables « courses de Noël ». J'aime faire des cookies et mes amis semblent tous apprécier mes efforts. Et je peux m'organiser beaucoup plus facilement pour les courses.

— Alors je vais avoir des cookies, cette année ? lui demanda-t-il avec un sourire malicieux.

— Je ne m'étais pas vraiment posé la question, dit-elle avec une désinvolture feinte.

A d'autres… Qu'offrir à Marcus pour Noël ? C'était la question qu'elle s'était posée toute la journée. Devait-elle lui faire un cadeau, d'ailleurs, ou se contenter de lui donner des cookies comme à ses autres amis ? Il était extrêmement riche, donc elle ne pourrait rien lui offrir qu'il ne pût s'acheter — en mieux.

— Sylvie, dit-il en se penchant vers elle et en la regardant avec une intensité qui éveilla son attention. Je veux des cookies. J'ai *besoin* de cookies. A vrai dire, je vous achèterais bien toute votre production.

Elle éclata de rire.

— Et qu'est-ce que j'offrirais à mes amis pour Noël ?

— Vous pourriez faire plus de courses.

Le serveur vint prendre leur commande. Quand il s'éloigna, elle dit à Marcus :

— Alors, vous savez ce que j'ai fait aujourd'hui. Mais vous ?

— Bah… des trucs, dit-il évasivement. Comme d'habitude, en gros.

— Mais plus précisément, sur quoi avez-vous travaillé aujourd'hui ?

Elle souhaitait désespérément connaître l'homme qui se cachait derrière ce masque charmant et ses dérobades répétées commençaient de la frustrer.

Il hésita, comme en proie à une lutte intérieure.

— Je suis allé dans l'Ohio, finit-il par lui apprendre, voir une usine d'acier que j'espère acheter. Cela fait plusieurs années que j'attends une occasion intéressante car une autre de mes usines utilise de grandes quantités d'acier et cela reviendrait bien moins cher si nous en produisions nous-mêmes.

— Des actionnaires mécontents ?

— Très drôle, répliqua-t-il en feignant d'être piqué. Ils ont tous les équipements dont nous avons besoin et, plus important, un processus de fabrication unique qui m'intéresse. Mais c'est un secret bien gardé qu'ils ne divulgueront pas tant que je n'aurai pas racheté l'usine.

— Malin, commenta-t-elle.

— De leur point de vue, oui, confirma-t-il en hochant la tête. Mais du mien, c'est plutôt agaçant. J'aimerais lancer la production avec le nouveau système en mars, mais plus nous pinaillons sur des détails, moins j'ai de chances d'être prêt à temps.

Soudain, il était extrêmement sérieux. Il avait le même air que lors de cette fameuse réunion qu'elle avait interrompue le jour où ils s'étaient rencontrés. Sérieux, animé d'un redoutable esprit de compétition, terriblement déterminé. Quand il affichait ce regard-là, elle avait pitié des entreprises qui se dresseraient en travers de son chemin. Il suffisait de voir ce qui arrivait à Colette, d'ailleurs.

Evoquer son entreprise lui rappela qu'elle n'avait pas la moindre idée des projets actuels de Marcus à son égard.

— Vous allez me parler de Colette, devina-t-il.

— Suis-je à ce point transparente ? s'étonna-t-elle.

— Non, expliqua-t-il après un instant de réflexion, mais je commence à connaître la façon dont fonctionne votre esprit.

Un court silence s'installa entre eux. Elle attendit, mais Marcus ne reprit pas la parole.

— Vous allez me le dire ? finit-elle par lui demander.

— Par vous dire quoi ?

Elle sentait monter l'irritation de Marcus. S'il cherchait à l'agacer, il s'y prenait à merveille. Au moment où elle allait répondre, une voix féminine s'exclama :

— Marcus ! Je ne savais pas que tu dînais là ce soir !

Sylvie leva la tête. Une petite femme mince aux cheveux argentés se tenait près de leur table, accompagnée d'un homme très élégant. Marcus se leva et l'embrassa sur la joue.

— Maman… Je ne m'attendais pas à te voir non plus. Bonsoir, Drew, ajouta-t-il en serrant la main de l'homme. Ça me fait plaisir de vous voir. Maman, ajouta-t-il en se tournant vers Sylvie, je te présente Sylvie Bennett. Sylvie, ma mère, Isadora Cobham Grey et son ami Drew Rice.

Trop troublée pour faire autre chose que sourire, Sylvie leur serra la main. Sa mère ! Drew fut le premier à rompre le silence.

— Bonsoir, Sylvie, dit-il. Je suis ravi de faire votre connaissance.

L'ami de la mère de Marcus — ou son petit ami ? quelle était leur relation, au juste ? — avait des yeux bleus très chaleureux.

— Bonsoir, monsieur, répondit Sylvie qui avait enfin recouvré l'usage de sa voix. Bonsoir, madame.

— Appelez-moi Izzie, ma chère, corrigea Mme Grey. Je n'ai jamais été très cérémonieuse, n'est-ce pas, Marcus ? ajouta-t-elle en adressant un sourire affectueux à son fils.

— Non, en effet, confirma-t-il en souriant à son tour.

Soudain, bien qu'elle eût conscience du ridicule de sa réaction, Sylvie les envia. L'amour qui les unissait sautait aux yeux. Et ils étaient du même sang. Marcus tenait ses yeux verts de sa mère, ainsi que certains traits de son visage comme la forme de ses pommettes. Petite fille, elle s'était toujours demandé si quelqu'un sur terre lui ressemblait. Parfois, il lui arrivait encore de se surprendre à dévisager des inconnues en se demandant si l'une d'elles n'était pas la femme qui l'avait abandonnée enfant.

— Etes-vous originaire de Youngsville, Sylvie ? s'enquit sa mère.

— Oui, madame. J'y suis née et j'y ai toujours vécu.

— Je ne crois pas connaître de Bennett...

A en juger par la gentillesse de son regard, cette remarque n'était pas une pique.

— Je suis orpheline, expliqua-t-elle. J'ai passé mon enfance à Ste Catherine. Ensuite, j'ai obtenu une bourse à l'université du Michigan et, à la fin de mes études, je suis revenue ici. Je travaille chez Colette, ajouta-t-elle sans pouvoir se retenir de jeter un coup d'œil à Marcus. L'entreprise que votre fils est en train d'essayer de racheter et de liquider.

Marcus la mit en garde d'un regard.

— Sylvie...

— Quoi ? s'écria sa mère.

Elle semblait si bouleversée que Sylvie s'en voulut d'avoir parlé sans réfléchir.

— Mais Marcus, pourquoi veux-tu racheter Colette ?

— C'est une bonne décision pour mes affaires, assura-t-il, sur la défensive. Ça n'a rien à voir avec... Rien, maman.

— Nous revenons tout juste de six mois en Europe, expliqua Drew à Sylvie qui en conclut qu'ils vivaient bien ensemble. J'ai feuilleté les journaux ce matin, et j'ai lu le compte rendu des projets de Marcus.

— Et tu ne m'en as rien dit ? s'indigna Isadora qui semblait blessée.

Drew l'enlaça et l'attira près de lui d'un geste protecteur.

— J'ai oublié, plaida-t-il en haussant les épaules.

— Le fiasco des émeraudes a coûté à Frank son entreprise, rappela-t-elle avec véhémence. Comment as-tu pu oublier de me dire une chose relative à Colette ?

— Le fiasco des émeraudes ? intervint Marcus. De quoi parles-tu ?

Mme Grey dévisagea son fils un long moment.

— Alors il ne t'a rien dit ? finit-elle par murmurer.

— Dit quoi ?

Il semblait avoir oublié que trois d'entre eux étaient debout, mais Drew fit asseoir Isadora avant de prendre la dernière chaise libre, si bien que Marcus fut forcé de se rasseoir.

— Colette a attiré les meilleurs créateurs de papa dans ses filets, raconta-t-il, et très vite après, Van Arl a fait faillite. Je n'ai jamais entendu parler d'émeraudes.

— Avant que les employés ne commencent de partir, expliqua sa mère, il y a eu un… un problème. Carl Colette a accusé ton père de lui avoir vendu de fausses émeraudes. Bien sûr, ton père n'aurait jamais fait une chose pareille, alors il a monté un piège pour découvrir le coupable. Il a fini par prendre son premier acheteur en train d'essayer de réaliser une seconde transaction identique, mais les bruits qui couraient sur la malhonnêteté supposée de Van Arl avaient déjà fait baisser les ventes. Ton père a dû commencer à laisser partir des gens. Ce n'est qu'à ce moment-là que l'équipe de création est partie chez Colette.

Un court silence suivit ce récit, puis Marcus prit la parole.

— Eh bien, merci de m'avoir raconté toute l'histoire, maman, mais cela ne change rien à mes plans. Mon métier est de racheter des entreprises et je n'ai vu là qu'une affaire intéressante.

Drew Rice prit les commandes de la conversation avant qu'Isadora ne commence à se disputer avec Marcus. Mais, à l'évidence, elle n'était guère heureuse quand ils prirent congé pour aller à leur table.

A peine s'étaient-ils éloignés que le serveur apporta leur entrée. Marcus ne dit pas un mot pendant qu'ils mangeaient. Sylvie ne parvenait même pas à imaginer ce à quoi il pouvait penser. Pourquoi son père ne lui avait-il pas raconté toute l'histoire ? Toute sa vie, Marcus avait cru l'entreprise de Carl Colette entièrement responsable de la faillite de son père…

Après avoir passé dix bonnes minutes à se demander si elle devrait ou non aborder le sujet, elle observa :

— Votre mère n'a pas l'air de tenir Carl Colette pour responsable de la disparition de Van Arl.

Pendant un moment qui lui parut interminable, il fit comme s'il n'avait rien entendu. Il finit de mâcher lentement sa bouchée, l'avala et but une gorgée de vin avant de la regarder.

— Vous ne me comprenez pas, reprit-il en serrant le poing sur la table.

— Alors, expliquez-moi, suggéra-t-elle en posant la main sur la sienne. Aidez-moi à voir les choses sous le même angle que vous.

Il la transperça de son regard vert. Il était si crispé qu'un muscle de son visage tressaillait.

— Que savez-vous de mes parents ?

Elle secoua la tête, un peu perplexe.

— Votre mère est une Cobham — de la famille Cobham de Chicago. Vieille famille prestigieuse liée au transport maritime des Grands Lacs. Votre arrière-grand-père était un ami de Teddy Roosevelt. On dit que votre père aurait contribué à cacher la liaison de Kennedy avec Marilyn Monroe du fait de son amitié avec la famille Bouvier. Quant à votre père, il possédait Van Arl. Il me semble que je ne sais rien d'autre de lui.

— Le contraire m'étonnerait, répliqua-t-il d'un ton égal. Mon père était le fils d'un marin du lac Michigan qui est mort dans une tempête deux mois avant sa naissance. Très vite, ma grand-mère n'a plus eu les moyens d'élever ses cinq enfants qui se sont retrouvés dans des familles d'accueil. Mon père était bon élève, mais il a passé son bac avec deux ans de retard parce qu'il a dû s'interrompre à plusieurs reprises pour travailler. Il a obtenu une bourse pour entrer à l'université. C'est là qu'il a rencontré ma mère.

Il s'interrompit pour boire une gorgée de vin. Ebranlée par son récit, elle en fit autant. Elle avait cru que son père était lui aussi issu d'une famille riche.

— Ce mariage ne plaisait pas beaucoup à la famille de ma mère, poursuivit-il, mais mes parents s'aimaient, et ils étaient décidés à faire leur vie ensemble. Après le mariage, mon père a risqué tout ce qu'il possédait pour acheter Van Arl. Je suis né un an après. Vous avez déjà déniché le reste de l'histoire, mais ce que vous ne savez pas, c'est ce que cela a fait à mon père. Il fallait absolument qu'il réussisse. La faillite de Van Arl l'a brisé. Il estimait qu'il avait failli à ma mère, et sa famille à elle ne lui a pas facilité les choses. Il a été totalement humilié. Et cela l'a… changé. Il s'est éloigné d'elle, de tout le monde. Quand j'avais sept ans, mes parents ont divorcé. Ma mère l'a aimé jusqu'au jour de sa mort, mais il ne parvenait pas à l'accepter. Il y a quelques années, elle a renoué avec un ami d'enfance — Drew — mais elle jure qu'elle ne se remariera jamais.

— Drew a l'air très sympathique, observa-t-elle faute de trouver autre chose à dire.

Il devait avoir eu une histoire vraiment triste. Qu'avait-il pu voir, entendre au cours de ces années à la fois fragiles et décisives ? Rien d'étonnant à ce qu'il fût décidé à bâtir son propre empire, au fond. Et il n'était pas près de laisser quiconque lui prendre quoi que ce soit de tangible comme sa fortune et encore moins d'intangible comme l'amour et la sécurité affective. S'il ne s'autorisait pas à en avoir besoin, il ne courait pas le risque de souffrir de leur absence.

— En effet, Drew est sympathique, confirma-t-il avec une note d'ironie et même d'amertume. Et encore mieux, il vient du même monde qu'elle. Argent, bonnes manières, des générations d'ancêtres éminents. Rien qui puisse déplaire aux Cobham.

Sylvie cherchait ses mots. Elle l'avait vu décidé, elle l'avait vu charmeur. D'une politesse scrupuleuse et parfois idiot, exaspérant. Mais jamais vaincu.

— Maintenant, déclara-t-elle calmement, je comprends ce que vous ressentez pour Colette. Mais, après ce que votre mère vient de nous dire, vous devez comprendre que Colette n'est en rien responsable de ce qui est arrivé à votre père.

Marcus frappa des deux mains sur la table. Surprise, Sylvie sursauta et se recula instinctivement.

— Bon sang ! Mais vous êtes comme un disque rayé ! s'écria-t-il avec une fureur à peine contenue. Vous ne pensez qu'à votre chère petite entreprise. Je ne comprends pas. Elle ne vous appartient pas ; vous ne siégez même pas au conseil d'administration. Mais, si vous étiez virée demain, votre vie serait vide.

Elle retint son souffle tandis que ces paroles terribles creusaient un fossé entre eux. Comme de très loin, elle s'entendit dire :

— Je vous remercie pour votre opinion, monsieur Grey.

Sur quoi elle prit son sac et se hâta de sortir de la salle à manger.

— Sylvie ! Revenez ici, l'entendit-elle ordonner dans son dos.

— Jamais de la vie, marmonna-t-elle.

Dans le hall, elle se rendit compte que son manteau était au vestiaire et que c'était Marcus qui avait le ticket. Tant pis. Elle aurait froid, mais elle survivrait. Parce qu'elle n'adresserait plus jamais la parole à M. Grey. Jamais.

Elle sortit et se dirigea vers le coin de la rue où elle savait pouvoir attraper un taxi. Il faisait un froid de loup, dehors. Le vent glacé du lac lui fouettait le visage, mais il n'était pas question qu'elle rebrousse chemin.

— Sylvie, attendez ! s'écria Marcus, sortant à son tour. Vous n'avez même pas votre manteau. Je suis désolé de ce que j'ai dit…

— Ne vous approchez pas de moi ! Je n'ai pas besoin de vous dans ma vie.

Elle pressa le pas pour qu'il ne la rattrape pas. C'est alors qu'elle glissa sur une plaque de verglas. Elle bascula et plongea en avant. Elle n'eut même pas le temps de tendre la main devant elle. Sa tête cogna violemment sur le trottoir.

Elle sentit une vive douleur et… plus rien.

6.

— Sylvie !

Marcus n'avait jamais eu aussi peur de sa vie. Il courut jusqu'à l'endroit où elle était tombée sur le trottoir glissant. Quand il se rendit compte qu'elle ne bougeait pas, qu'elle ne faisait aucun effort pour se relever ou au moins s'asseoir, la terreur l'envahit.

— Appelez les pompiers ! cria-t-il aux piétons qui s'étaient groupés autour d'eux.

Il s'agenouilla à côté de Sylvie et ôta sa veste pour l'en couvrir.

Qu'est-ce qui lui avait pris de s'enfuir sans son manteau ?

Une pointe de culpabilité l'assaillit. Il savait très bien ce qui lui avait pris. En fait, c'était sur sa conduite à lui qu'il ferait mieux de s'interroger. Pourquoi s'en était-il pris à elle comme cela ? Lui qui s'enorgueillissait de ne jamais perdre le contrôle… Ses employés et ses concurrents le surnommaient Nerfs d'Acier parce qu'il ne s'autorisait jamais à montrer sa colère ou sa frustration, même quand une affaire vraiment juteuse lui échappait.

Il prit le pouls de Sylvie. Il avait beau savoir que, en principe, on ne mourait pas d'une simple chute à son âge, le soulagement l'assomma presque quand il eut la certitude qu'elle était

107

vivante. Il se pencha pour voir son visage et le côté de sa tête qui avait porté sur le sol. La peur le reprit quand il vit une tache sombre qui s'élargissait à vue d'œil : du sang…

Il résista à son instinct qui lui soufflait de la prendre dans ses bras pour l'emmener en lieu sûr et au chaud. Il ne fallait pas la bouger.

Il eut l'impression que des heures s'écoulaient avant l'arrivée de l'ambulance. Il sauta sur ses pieds en entendant la sirène et agita les bras.

— Par ici !

Il expliqua rapidement aux secouristes comment elle était tombée. Non, on ne l'avait pas déplacée. Non, elle n'avait ni bougé ni parlé. Tandis qu'ils l'installaient sur un brancard, Marcus se rendit compte que ses mains tremblaient. Quelqu'un lui remit sa veste sur les épaules.

— Vous êtes son mari ? lui demanda un des ambulanciers.

— Non, mais je…

Qu'était-il, au juste, par rapport à elle ? Le responsable de sa chute ? L'homme qui savait qu'il ne serait plus jamais le même si quelque chose arrivait à Sylvie ?

— Nous l'emmenons à Mercy, précisa-t-il. Vous pouvez vous y rendre par vos propres moyens ?

Marcus hocha la tête. En reprenant ses esprits, il tâta ses poches. Clés. Récupérer le manteau de Sylvie au vestiaire. Ticket de parking à donner au voiturier. Tandis qu'il attendait sa voiture, on lui tapa doucement sur l'épaule. Il se retourna et vit sa mère et Drew juste derrière elle.

— Sylvie a glissé sur une plaque de verglas, expliqua-t-il. Il faut que j'y aille…

— C'est ce que nous avons entendu dire, expliqua sa mère. Tu veux que nous venions avec toi ?

— Non, merci, répondit Marcus qui, se sentant coupable, préférait rester seul. Mais je vous appellerai dès que je saurai quelque chose, proposa-t-il.

— Je vais prier pour elle, déclara sa mère.

— Merci.

Entre-temps, sa voiture était arrivée. Il se précipita côté conducteur, fourra un billet dans la main du voiturier et démarra.

Mercy était l'hôpital le plus proche. En outre, s'il avait eu le choix, c'était là qu'il aurait préféré qu'elle soit transportée car Mercy jouissait d'une excellente réputation. Aux urgences, il avait à peine prononcé le nom de Sylvie que la réceptionniste lui apprit qu'on lui faisait des radios.

— Asseyez-vous, lui proposa-t-elle. Le médecin va venir vous parler dès que possible.

— Merci.

Il se laissa tomber sur un inconfortable siège de vinyle et se repassa inlassablement le film du moment où Sylvie était tombée alors qu'il était trop loin pour la retenir. Il la revoyait, immobile et muette sur ce trottoir. Elle lui avait paru si fragile, toute petite… Elle était petite, d'ailleurs, se rappela-t-il avec un pincement au cœur. Elle était si vivante et drôle qu'il en oubliait sa fragilité et la finesse de ses membres, mais ses mains lui semblaient toujours minuscules dans les siennes et elle lui arrivait à peine au menton. La gorge serrée, il baissa la tête et s'affaissa sur son siège.

Près d'une heure plus tard, un petit homme en blouse bleue, un masque pendant autour du cou, entra dans la salle d'attente. Marcus se leva d'un bond.

— Comment va-t-elle ?

— Je suis le Dr Hansen. Etes-vous de la famille de Mlle Bennett ?

— Elle n'en a pas, expliqua-t-il. Mais nous sommes assez proches.

Ce n'était peut-être pas tout à fait vrai, mais il voulait la voir et cela semblait le meilleur moyen d'y arriver.

— Comment va-t-elle ?

— Elle a repris connaissance dans l'ambulance et semble avoir l'usage de ses facultés. Nous lui avons fait sept points de suture le long de la naissance des cheveux. Il n'y a ni dommages internes visibles ni fracture du crâne ni commotion cérébrale. Elle aura, bien sûr, besoin d'une étroite surveillance. En cas de modification de son état ou au moindre doute, ramenez-la immédiatement.

Marcus attendit la suite. Le médecin le regarda d'un air surpris.

— Vous avez des questions ?

— C'est tout ? Elle n'a pas d'autre blessure ?

— Rien que nous ayons pu déceler, assura-t-il en souriant.

— Je peux la voir ?

— Elle est encore en salle de soins, mais ce devrait être bientôt fini. Je vais dire à l'infirmière de vous appeler quand Mlle Bennett sera prête à partir.

Cela ne lui plaisait guère, mais il savait que cela ne plairait pas à Sylvie qu'il fasse une scène. Il se rappela la promesse qu'il avait faite à sa mère et l'appela pour la rassurer. En raccrochant, il se rappela l'amitié qui unissait Sylvie et Rose Carson. Sylvie ne voudrait pas que Rose s'inquiète de ne pas la voir rentrer. A l'instant où il raccrochait après son second appel, une infirmière appela.

— La famille de Sylvie Bennett ?

Il la suivit à travers le service des urgences. Dans le couloir, devant la porte de la chambre dans laquelle elle se trouvait, il inspira à fond. Qu'allait-il lui dire ? Des excuses seraient mal venues. Il expira lentement et ouvrit la porte. Même si elle le haïssait, il fallait qu'il la voie, au moins pour s'assurer qu'elle allait bien.

Il faisait sombre dans la pièce. Marcus se rendit compte non sans surprise qu'il était près de minuit. Une veilleuse faisait un halo blanc à la tête du lit. Il s'approcha.

— Sylvie ? murmura-t-il.

Elle avait fermé les yeux et il vit qu'elle devait faire un effort pour les rouvrir. Il sentit l'instant précis où elle comprit qui était à son chevet. Elle se referma complètement.

— Allez-vous-en.

— Je ne peux pas, répondit-il, la gorge nouée.

Elle ne dit rien.

— Je suis désolé de ce que je vous ai dit, poursuivit-il. Je souffrais et je m'en suis pris à vous, avoua-t-il après une hésitation.

Silence.

— Vous n'avez pas à me pardonner ; je ne le mérite sans doute pas. Mais il faut que vous sachiez qu'aucune femme ne m'a jamais fait éprouver ce que je ressens avec vous. Aucune femme ne m'a jamais fait me regarder de plus près et aborder mes défauts. Voulez-vous que j'appelle quelqu'un ? proposa-t-il après une nouvelle hésitation.

Toujours pas de réponse. La gorge de plus en plus serrée, il avala sa salive avec difficulté.

— Vous pouvez sortir maintenant, lui apprit-il. Je vais vous ramener.

Elle ne réagit pas. Au moment où il commençait à penser que c'était fichu pour toujours, elle bougea. Elle tournait toujours la tête vers le mur, mais avança son bras du côté de Marcus, dans sa direction. Il tendit la main et prit celle de Sylvie. Un grand soulagement l'envahit quand elle replia les doigts autour des siens.

Elle se réveilla de bonne heure. Pendant un long moment, elle ne se rappela pas où elle se trouvait. Comme quand elle était enfant et qu'elle s'efforçait désespérément de trouver sa place, elle resta étendue parfaitement immobile à absorber tout ce que ses sens pouvaient percevoir avant de faire un geste. Une douleur sourde battait à ses tempes. Rien d'autre ne semblait abîmé, constata-t-elle après avoir testé ses membres un à un.

Après avoir évalué son état physique, elle regarda autour d'elle. L'un des murs d'un ton crème reposant était orné d'un motif de feuilles de lierre entrelacées qui se retrouvait sur les rideaux des deux grandes fenêtres et le couvre-lit matelassé. Une jolie petite horloge d'or moulu était posée sur la table de nuit. Il était à peine plus de 6 heures.

Le lit. Elle se souvenait confusément que Marcus l'avait portée là, la veille au soir. Il devait l'avoir ramenée chez lui, comprit-elle avec un léger choc. C'est alors qu'elle se rendit compte qu'on tenait fermement sa main droite. Elle tourna un peu la tête et vit Marcus assis dans un fauteuil auprès du lit. Il était penché en avant, la tête dans son bras replié sur le lit.

Avait-il passé la nuit là ? Elle contempla son visage, l'arc sombre de ses sourcils, ses cils. Sa bouche à la ligne toujours ferme, même dans le sommeil. « Aucune femme ne m'a jamais fait éprouver ce que je ressens avec vous. » Sa voix résonnait très clairement dans l'esprit de Sylvie. Lentement, le souvenir de la soirée revint à son esprit encore embrumé. Il avait été furieux après elle. Et elle savait pourquoi car elle commençait de le comprendre.

Dans son enfance, le divorce de ses parents l'avait anéanti. Elle éprouva un élan de sympathie pour le petit garçon d'autant plus fort qu'elle se rappela combien on était vulnérable à cet âge.

Et maintenant, apprendre que son père ne lui avait pas dit toute la vérité, se rendre compte qu'il poursuivait un objectif pour de mauvaises raisons... Il s'était construit un monde dans lequel il contrôlait tout, dans lequel personne ne pouvait lui faire de mal. Peut-être n'était-il pas capable d'admettre que son but était de démanteler Colette, mais elle était sûre que, dans un petit coin de son cœur, ce petit garçon pousserait des cris de joie le jour où l'entreprise dont il croyait qu'elle avait détruit son père cesserait d'exister.

Et, quand elle l'avait contraint à prendre conscience du fait qu'il commettait peut-être une erreur, il avait rué dans les brancards.

Elle poussa un soupir et tourna la tête vers la fenêtre. Pourquoi l'avait-il amenée ici ? Depuis le peu de temps qu'ils se connaissaient, ils avaient eu plus de désaccords et de malentendus qu'elle n'en avait connu dans toutes ses autres relations réunies. Pourquoi ne renonçait-il pas ?

A l'idée qu'il pourrait partir pour toujours, qu'elle pourrait ne plus jamais le revoir, qu'elle ne sentirait plus ses bras rassurants autour d'elle ni ses lèvres sensuelles sur les siennes, son cœur se serra douloureusement.

Elle était amoureuse de lui.

Enfin, elle vit la vérité qu'elle avait cherché à éviter. Elle aimait l'énergie qu'il mettait à poursuivre ses objectifs, son humour, la vivacité et l'intelligence dont il faisait preuve dans leurs joutes verbales. Elle aimait ses larges épaules et ses hanches étroites, la façon dont ses yeux s'assombrissaient quand il avait envie d'elle. Elle aimait qu'il semblât lire dans ses pensées ; jamais elle n'avait été aussi proche de quelqu'un. Elle trouvait étrange et même un peu inquiétant qu'il en eût tant appris sur elle en si peu de temps, mais elle se consolait en songeant qu'elle en savait presque autant sur lui, même s'ils n'étaient pas d'accord sur le cas de Colette.

Colette. Elle reconnaissait que son attachement à l'entreprise n'était ni plus raisonnable ni plus rationnel que le désir de Marcus de la détruire. Et, s'il y parvenait, elle ne doutait pas qu'il se préoccuperait des employés même si toutes sortes de rumeurs affreuses couraient sur lui.

En faisant des recherches sur son passé, elle avait découvert qu'il était connu pour tailler sans pitié le bois mort, et réduire les charges salariales des entreprises qu'il acquérait, mais aussi pour se montrer correct et généreux avec ceux qu'il congédiait. Il leur accordait de bonnes indemnités et des lettres de références. Loin de frapper au hasard, il chargeait une équipe de spécialistes d'évaluer l'entreprise sous tous les angles avant de prendre la moindre mesure. Il était honorable, en accord avec le code de conduite qu'il avait suivi toute sa vie.

N'empêche qu'il voulait fermer l'entreprise qui avait offert à Sylvie son premier emploi et l'avait nourrie de bien des façons.

Quand elle le regarda, elle fut un peu déstabilisée de découvrir qu'il avait ouvert les yeux et l'examinait. Elle n'était pas vraiment prête pour une explication maintenant, mais elle n'avait guère le choix. Elle se redressa dans son lit.

— Bonjour, lui dit Marcus.

— Bonjour, répondit-elle en souriant. Enfin, je ne sais pas si c'est un très bon jour, corrigea-t-elle.

Elle hésita un instant et décida qu'elle ferait aussi bien d'en finir tout de suite.

— Je suis désolée de ma conduite ridicule d'hier soir, dit-elle. Je suis désolée de vous avoir dérangé comme cela.

— Qui vous dit que vous m'avez dérangé ?

Là, elle ne trouva rien à répondre.

114

— Ce qui est sûr, en revanche, c'est que je me suis fait un sang d'encre. Je me suis senti si impuissant, quand je vous ai vue tomber… Je n'ai pas pu vous atteindre à temps.

Elle décelait dans sa voix une angoisse qui la surprit. Elle ôta sa main de celle de Marcus pour lui caresser le visage.

— Marcus, assura-t-elle, ce n'était pas votre faute.

Il lui prit la main, déposa un baiser dans le creux de sa paume.

— Je le sais. Mais savoir que c'est à cause de moi que vous vous êtes enfuie du restaurant ne me rend pas très fier de moi. J'aurais dû vous retenir.

— Comment ? Je ne vous aurais pas écouté. D'ailleurs, sans cette plaque de glace, j'aurais pris un taxi avant que vous ayez pu me rattraper.

— Nous n'avons pas été très raisonnables ni l'un ni l'autre, concéda-t-il en lui embrassant de nouveau la main. Mais tout ce qui compte pour l'instant, c'est que vous vous reposiez et que vous vous rétablissiez.

— Je suis chez vous ?

Il hocha la tête.

— J'ai pensé qu'il serait préférable de vous installer chez moi quelques jours, le temps que vous vous sentiez mieux.

— Quoi ?

Elle ne parvenait pas à s'asseoir, mais elle tourna la tête pour mieux le voir.

— Je ne peux pas rester ici.

— Vous n'êtes pas en état de rester seule, répliqua-t-il, et vous n'avez pas le droit de bouger beaucoup pendant les prochaines vingt-quatre heures. Vous retournez chez le médecin mercredi. D'ici là, vous êtes bien ici.

— J'ai besoin de rentrer chez moi, dit-elle avec insistance. Je m'en sens tout à fait capable.

115

Il n'était pas question qu'elle vive avec lui. Ni une heure ni un jour. Il lui serait trop facile, ensuite, de faire dépendre son bonheur de lui. Elle avait passé vingt-sept ans tout à fait heureuse, seule, et elle ne voulait pas que cela change parce qu'elle avait eu la bêtise de craquer pour un homme qui n'était pas du tout fait pour elle.

— Vous semblez oublier que j'ai vécu seule pendant longtemps.

— Ça m'est égal.

Il se leva et ignora le regard meurtrier qu'elle lui jeta.

— Je reviens tout à l'heure avec votre petit déjeuner. Ne vous levez pas sans moi.

Elle lui tira puérilement la langue quand il sortit de la pièce.

Il le posa sur la coiffeuse puis s'approcha du lit et passa un bras autour des épaules de Sylvie sans la laisser le repousser.

— Laissez-moi vous aider, lui enjoignit-il en se penchant vers elle. Arrêtez de vous battre contre moi, Sylvie.

Elle aurait bien voulu continuer de protester, mais, quand Marcus l'assit, la tête lui tourna. Elle découvrit qu'elle ne portait que ses sous-vêtements et une chemise d'homme.

— Où sont mes vêtements ? s'enquit-elle. Pourquoi je porte ça ?

Marcus s'éclaircit la gorge.

— Heureusement, j'avais une chemise de rechange dans la voiture, expliqua-t-il, sinon vous seriez sortie de l'hôpital dans une blouse.

Elle comprit que sa robe devait être fichue, à cause du sang et de la chute.

116

— Plus tard, je vous apporterai des choses de chez vous, promit-il.

— Plus tard, vous me ramènerez chez moi, corrigea-t-elle fermement.

Il ne répondit pas, et elle prit son silence pour un consentement. Il reprit le plateau sur la coiffeuse et le posa sur le lit.

— C'est vous qui avez fait ça ? demanda-t-elle, soupçonneuse.

Marcus secoua la tête.

— J'ai une gouvernante, confia-t-il. C'est elle qui a tout préparé.

N'empêche qu'il s'activa efficacement aux derniers préparatifs, beurra ses pancakes, les coupa en morceaux et les arrosa de sirop d'érable, puis coupa le bacon, ajouta du lait à son café. Rien qu'à le regarder faire, elle se sentait épuisée.

Alors, d'accord, elle aurait peut-être un peu de mal à préparer ses repas...

Et puis ? Elle se débrouillerait ! conclut-elle en portant une bouchée de pancakes à ses lèvres.

— Ma mère a appelé, lui apprit-il tandis qu'elle buvait une gorgée de jus d'orange. Elle s'est fait beaucoup de souci pour vous.

— Vous en avez parlé à votre mère ?

Elle était horrifiée. Isadora Grey était l'élégance féminine personnifiée. Qu'allait-elle penser d'une fille qui se disputait en public avec son fils ?

— Je n'ai rien eu besoin de lui dire, repartit-il. Ils étaient là tous les deux quand l'ambulance vous a emportée.

— Mon Dieu, gémit Sylvie en fermant les yeux, que doit-elle penser de moi, maintenant ?

Il eut l'air surpris.

— Elle rentrait prier pour vous. Je crois que c'est à cela qu'elle pensait principalement.

— Non, corrigea-t-elle en se tordant les doigts tandis qu'elle essayait de s'expliquer. Ce n'est pas ce que je veux dire. Votre mère a tellement de classe… Elle doit me trouver épouvantable de m'être disputée avec vous en public.

— Ne vous en faites pas, lui enjoignit-il en riant doucement. Je ne crois pas qu'elle soit au courant de notre… désaccord. Elle a seulement entendu parler de votre chute.

— Ouf ! dit-elle en proie à un soulagement ridicule. Merci mon Dieu.

— D'ailleurs, ajouta Marcus, elle vous aime bien. Elle m'a dit que vous n'aviez pas l'air du genre à vous laisser faire.

Cette remarque fit sourire Sylvie.

— Nous avons à peine échangé deux phrases, objecta-t-elle. Comment en est-elle arrivée à cette conclusion ?

— Sûrement pas en voyant votre attitude docile et douce, en tout cas.

Ils se regardèrent en souriant de cet échange.

— J'apprécie ce que vous avez fait pour moi, Marcus, dit finalement Sylvie. Mais je ne plaisantais pas quand je vous ai dit que je ne pouvais rester chez vous. Rose s'inquiète toujours quand nous sommes en retard. Elle doit être dans tous ses états si elle s'est rendu compte que je n'étais pas rentrée hier soir.

— Je l'ai appelée.

— Vous l'avez appelée ?

Elle eut la surprise de voir le rouge lui monter aux joues.

— Euh… oui. Je me suis dit qu'elle risquait de se faire du souci pour vous. Elle… euh… elle m'a dit qu'elle allait téléphoner à quelqu'un du nom de Meredith.

118

Il se leva brusquement et se dirigea vers la porte. Elle l'arrêta.

— Marcus ! C'est très gentil à vous. Merci.

Il se retourna lentement face à elle, une expression neutre sur le visage.

— Je vous en prie.

Mais son attention fut détournée de lui par la porte qui s'ouvrait. Ce qu'il y avait d'étrange, c'était qu'elle ne voyait personne derrière. Marcus dut lire l'angoisse dans son regard car il se retourna vivement. Et laissa échapper un petit rire.

— Allez, dit-il, entre donc, gros curieux. Viens dire bonjour à la dame.

A qui donc pouvait-il s'adresser ? C'est alors que Sylvie eut la surprise de voir entrer un gros chat blanc angora à la queue en plume qui s'enroula autour des jambes de Marcus. Un chat… Elle n'aurait jamais cru qu'il était du genre à avoir des animaux de compagnie. Son expérience en matière de chats se limitait à celui de la sœur de son amie Jayne, qui avait déclaré la guerre à la terre entière le jour où il avait été installé chez celle-ci pendant que sa maîtresse était à l'université. Avoir affaire à ce monstre suffisait à vous dégoûter des félins à tout jamais.

Elle ne se serait jamais doutée que Marcus aimait les chats. Normalement, les hommes virils dans son genre préféraient les gros chiens, non ? Quand il se pencha pour prendre doucement le matou dans ses bras et le porter comme un bébé, elle découvrit une toute nouvelle facette de la personnalité de cet homme à qui elle avait collé l'étiquette de cynique insensible.

Elle avait dû se tromper, songea-t-elle en se rappelant la façon dont il s'y était pris avec le bébé de Jim et Marietta. En le regardant faire ce jour-là, elle avait failli fondre sur place.

119

Bien sûr, ce n'était pas du tout parce qu'elle voyait en lui un père possible pour ses futurs enfants. Pas du tout.

Il était près de midi quand il se gara dans le parking du 20, Amber Street. Sylvie était installée sur le siège du passager. Il l'avait laissée se reposer, le chat ronronnant à côté d'elle, pendant qu'il lui commandait par téléphone un pyjama et une robe de chambre dans une boutique proche de chez lui pour qu'elle ait de quoi s'habiller pour aller chez elle. Comme la boutique manquait de personnel pour assurer la livraison, il était allé les chercher lui-même — non sans avoir fait promettre à Sylvie de ne pas bouger d'ici à son retour.

Il sourit en songeant combien elle avait grogné en lui faisant cette promesse. Mais il n'était pas parti avant de la lui avoir arrachée car il savait combien elle pouvait être volontaire et indépendante. D'ailleurs, il avait fait en sorte de ne pas s'absenter longtemps, craignant qu'elle ne trouve une bonne excuse pour manquer à sa parole.

Il sortit de la voiture, alla lui ouvrir sa portière et se pencha pour la porter.

— Franchement, Marcus, je peux marcher, protesta-t-elle.

Elle lui avait dit la même chose quand il l'avait portée de la chambre d'amis à la voiture, et il lui fit la même réponse.

— Peut-être, mais je ne vous laisserai pas essayer.

Au moment où il entrait dans la maison, une porte s'entrouvrit et Rose Carson passa la tête. Quand elle les vit, elle ouvrit grand la porte et sortit dans le hall.

— Oh ! Sylvie, comment te sens-tu ? Je me suis fait un sang d'encre depuis le coup de fil de Marcus hier soir.

— Sylvie va bien, madame Carson, assura-t-il. Enfin, pas tout à fait, mais je m'occupe d'elle.

— Oui, intervint Sylvie avec une certaine irritation, et la petite Sylvie sait parler.

Elle avait passé un bras autour de son cou pour se retenir et il grimaça quand elle tira sur une mèche de ses cheveux.

— Je reconnais bien là ma Sylvie, observa Rose en souriant. Je vois que tu n'as pas été trop gravement blessée.

Elle se tourna vers Marcus et désigna un petit ascenseur caché discrètement au fond du hall.

— Prenons plutôt l'ascenseur, suggéra-t-elle. Alors, ajouta-t-elle tandis qu'ils montaient, racontez-moi ce qui s'est passé, exactement.

Il sentit Sylvie se contracter dans ses bras.

— Nous sommes sortis dîner, expliqua-t-elle calmement. En sortant du restaurant, j'ai glissé sur une plaque de verglas et je me suis assommée.

Quand leurs regards se croisèrent, elle se détourna. Ce n'était pas à proprement parler un mensonge. Ou alors un mensonge par omission. Elle faisait preuve de beaucoup de gentillesse à l'égard des autres et restait très discrète sur elle-même. Il n'était pas surpris qu'elle ne veuille pas que la terre entière soit au courant de leur dispute.

— Dieu merci, il ne t'est rien arrivé de plus grave ! dit Rose. Tous les hivers un membre ou l'autre de mon club de bridge tombe et se casse un bras ou une jambe. C'est traître, la glace.

Il suivit la propriétaire — dont il savait qu'elle était bien plus qu'une veuve possédant des appartements — dans l'appartement de Sylvie, jusqu'à sa jolie chambre cosy. La dominante blanche, comme dans le séjour, était rehaussée de mauve et de vert tendre. Il attendit que Rose ait rabattu le couvre-lit et les draps pour installer Sylvie.

— Je vais laisser Marcus t'aider à t'installer, déclara la propriétaire. Mais, si tu as besoin de quoi que ce soit, n'hésite pas à m'appeler. Je te monterai de la soupe un peu plus tard, et je vais dire à Jayne, Lila et Meredith que tu es rentrée. Je suis sûre qu'elles voudront passer voir si tu vas vraiment bien.

Sylvie tendit la main et attira Rose contre elle pour la serrer dans ses bras.

— Merci, lui dit-elle. J'apprécie... Enfin, merci de... Je suis désolée que vous vous soyez inquiétée, conclut-elle.

Marcus eut la surprise de voir des larmes briller dans ses yeux noirs.

Quand la vieille dame la prit dans ses bras, il se rendit compte que leur relation dépassait largement le bon voisinage. Elle connaissait Rose depuis si longtemps qu'il devina que celle-ci devait jouer le rôle d'une mère de substitution. Mais Sylvie savait-elle combien Rose tenait à elle ?

Quand Rose se releva et sortit de la chambre, il la suivit.

— Puis-je vous voir un instant, Rose ?

En guise de réponse, elle referma silencieusement la porte derrière elle et lui fit signe de la suivre dans l'entrée.

— Sylvie ne sait pas que vous êtes actionnaire de Colette, n'est-ce pas ?

— Non, confirma Rose en secouant la tête.

— Combien de parts possédez-vous ?

— Les quarante-huit pour cent que vous n'êtes pas parvenu à acheter.

— Hou-là.

Il se rendit compte que son visage devait trahir sa surprise. Il avait cru qu'elle ne détenait que quelques actions.

— Il me semblait que le reste appartenait à la famille Colette. Comment avez-vous mis la main dessus ?

— Promettez-moi que ce que je vais vous dire va rester entre nous, lui demanda-t-elle. Je ne suis pas encore prête à le révéler à d'autres.

— D'accord, accepta-t-il en hochant la tête.

Elle joignit les mains comme une enfant se préparant à une récitation.

— Carl Colette était mon père. En réalité, je m'appelle Teresa Rose Colette Carson. Il n'y a plus d'autre membre de la famille.

— Ah…, commença-t-il.

Mais Rose l'interrompit.

— Marcus… Monsieur Grey, je me doute de ce que vous pouvez éprouver en ce moment, mais, si c'est une revanche que vous cherchez, prenez-vous-en plutôt à moi. Changez le nom de l'entreprise si vous voulez, mais ne faites pas payer à tous ces employés loyaux un malentendu qui s'est produit il y a un quart de siècle.

Formidable. Encore une qui pensait le pire de lui. Elle devait avoir pris les rumeurs qui couraient sur lui pour parole d'Evangile.

— Madame Carson, je vous assure que je n'ai nullement l'intention de faire payer les employés actuels.

C'est alors qu'une chose qu'elle lui avait dite attira son attention.

— Cela vous serait égal si je changeais le nom de l'entreprise ? s'étonna-t-il. Il s'agit de votre héritage familial, quand même.

— Mon héritage…, répéta-t-elle amèrement. Mon père était tellement obsédé par ce nom, par sa volonté de contrôler tous les dessins, tous les produits portant la marque Colette, qu'il a brisé ma famille. J'ai quitté Youngsville il y a plus de trente ans avec l'homme que j'aimais parce que mes parents n'approuvaient pas mon choix. Mon père ne m'a plus jamais parlé et m'a déshéritée. Alors croyez moi, quand je vous dis que je me fiche pas mal du nom de Colette, c'est la vérité.

— Je suis navré.

Ces mots semblaient bien pauvres au regard de ce qu'elle lui avait raconté. Mais un autre aspect de la situation lui apparaissait déjà.

— Si vous avez été déshéritée, comment se fait-il que vous déteniez des actions ? Et pourquoi vos parents n'ont-ils pas conservé la majorité absolue ?

— Avant sa mort, mon père a vendu des actions en pensant qu'il n'y aurait personne pour en hériter. Mais, quand il est décédé, ma mère m'a suppliée de revenir prendre les rênes de l'entreprise. Comme si j'en avais la moindre envie. Mais, comme je ne pouvais pas lui refuser tout net, j'ai accepté de gérer les actions restantes et de siéger au conseil d'administration. Avant votre arrivée, je détenais suffisamment de parts — d'autant que j'en avais racheté — pour ne pas risquer de voir quelqu'un d'autre prendre les décisions.

— Alors vous êtes revenue à Youngsville, et c'est là que vous avez fait la connaissance de Sylvie.

— Oui, confirma-t-elle avec un doux sourire. Je l'ai tout de suite aimée. Elle est si pleine de vie, si brillante, si curieuse... Et elle faisait tout son possible pour cacher ses qualités sous une attitude déplaisante et un comportement difficile.

— Elle a de la chance de vous avoir, constata Marcus.

— Et moi aussi, ajouta Rose avec sincérité. Sylvie ne fait rien à moitié. Quand elle ouvre son cœur, c'est pour toujours. Certains de ses collègues de travail sont devenus des amis pour la vie.

Il sourit, ne sachant trop que répondre.

— Sylvie est une jeune femme exceptionnelle.

Sur quoi il salua Rose et retourna au chevet de Sylvie, qui s'était rendormie. Il la borda, non sans s'émerveiller du contraste de ses longs cils noirs sur son teint de porcelaine. Une vague de tendresse toute nouvelle pour lui l'envahit. Les paroles de Rose résonnèrent à ses oreilles : « Quand elle ouvre son cœur, c'est pour toujours. » Et la panique qui s'était emparée de lui en la voyant étendue sur le sol revint. Sylvie lui avait-elle ouvert son cœur ? Probablement. Cette découverte lui procura un intense plaisir mais il dut lutter contre l'envie de s'enfuir le plus loin possible le plus vite possible.

Il sortit lentement de sa chambre et s'assit dans le salon. Ce n'était pas bien. Elle l'émouvait comme aucune femme ne l'avait jamais fait, ce qu'il jugeait très déstabilisant. Sa vie tournait parfaitement sans les sentiments profonds qui avaient déchiré ses parents. Malgré lui, le visage défait de son père lui apparut. Après le fiasco des émeraudes, l'idée que la famille d'Isadora pouvait avoir eu raison, qu'il n'était pas assez bien pour elle, avait été trop humiliante, trop dure à supporter pour Frank Grey. Marcus entendait encore sa mère supplier son père de ne pas s'en aller, mais la fierté de Frank ne l'autorisait pas à rester. Il était mort brisé dans la prison qu'il s'était érigée lui-même, quand Marcus avait dix-huit ans. Et la petite lueur d'espoir que sa mère avait entretenue pour le sauvetage de son mariage s'était éteinte à son tour.

Décidément, il préférait se passer de ce genre d'émotions. Il n'avait pas l'intention de se laisser piétiner par quiconque ni de tenir à une femme au point qu'elle aurait le pouvoir de le détruire si elle s'en allait. Il avait fallu à sa mère plus de dix ans pour se remettre de la destruction de son mariage.

Il se leva pour prendre son manteau. Il n'avait pas *besoin* de Sylvie, se répéta-t-il, même si sa compagnie lui était très agréable. Oui, elle l'attirait beaucoup. Et toute femme blessée aurait éveillé chez lui un sentiment protecteur. C'était tout. Mais, pour qu'elle ne se fasse pas d'idées, il aurait intérêt à faire attention à ne pas passer trop de temps avec elle à l'avenir. Il ne serait pas bon pour elle de croire qu'il pouvait y avoir quoi que ce soit de durable entre eux. Rien ne les empêchait d'avoir une relation torride qui assouvirait le désir qu'il croyait avoir d'elle et, ensuite, tout rentrerait dans l'ordre.

Mais, en refermant la porte d'entrée derrière lui, il évita soigneusement son reflet dans le petit miroir.

126

7.

Trois jours plus tard, on sonna à la porte de Sylvie. Marcus était pile à l'heure.

Sylvie posa son crayon et laissa les papiers épars sur sa petite table de salle à manger. Elle s'efforçait de conserver une respiration égale pour se détendre. Dans la petite glace de l'entrée, elle vérifia son maquillage qu'elle jugea satisfaisant et prit tout son temps pour ouvrir la porte.

— Bonjour, Marcus, dit-elle aimablement, d'un ton ni trop empressé ni trop froid qui la satisfit pleinement.

— Bonjour, Sylvie.

Si seulement il n'était pas aussi beau ! songea-t-elle avec une certaine amertume. Malgré l'air un peu inquiet qui transparaissait derrière son charme, il lui coupait le souffle chaque fois qu'elle sentait ses yeux verts sur elle.

— Voulez-vous entrer ?

Elle resterait polie, dût-elle en mourir.

Si c'était ainsi qu'il la voulait, elle jouerait le jeu. Après aujourd'hui, elle n'aurait plus besoin de le voir en dehors du bureau. Et, si cette idée lui perçait le cœur, elle n'en laisserait rien paraître.

C'était la première fois qu'il venait la voir depuis qu'il l'avait ramenée chez elle suite à son accident.

A son réveil, il était parti. C'était aussi bien. Tous deux avaient fait de leur mieux pour rester polis, les heures qu'ils avaient passées ensemble après sa sortie de l'hôpital avaient été empruntées, figées. Les mots qu'il lui avait jetés à la figure au restaurant ne cessaient de lui revenir aux oreilles malgré elle.

« Vous ne pensez qu'à votre chère petite entreprise. Si vous étiez virée demain, votre vie serait vide. » Il avait tort. Si, un jour, les portes de Colette ne s'ouvraient plus, ou si elle était renvoyée, il lui resterait ce qu'elle avait de plus précieux au monde : ses amis. Cela, Marcus ne pouvait pas le comprendre. Il ne pouvait pas *la* comprendre. Il ne serait pas prêt à donner sa vie pour un ami, et sans doute ne comprendrait-il pas que quelqu'un fût prêt à le faire.

Elle avait été idiote, se répéta-t-elle pour la énième fois. Idiote d'espérer qu'elle pourrait un jour avoir une... une relation durable avec un homme comme Marcus. Idiote de croire qu'ils pourraient trouver un terrain d'entente à leurs opinions souvent divergentes. Et plus qu'idiote d'avoir cru une seule seconde qu'un malheureux bijou lui avait permis de rencontrer l'homme de sa vie.

Elle recula en silence pour le laisser entrer chez elle. Il ne l'avait pas appelée pendant trois jours. Tant mieux s'il laissait leur relation faire long feu, s'était-elle dit. Cela valait bien mieux que de disséquer point par point cet échec minable. Elle s'en remettrait. Elle l'oublierait.

D'accord, c'était un mensonge. Mais la nausée qui la prenait chaque fois qu'elle imaginait son avenir sans lui finirait par se dissiper. Elle était autonome, indépendante, et cela lui convenait parfaitement. Mais elle avait baissé la garde, elle l'avait laissé s'approcher trop près d'elle et, maintenant, elle en payait le prix. Il lui faudrait certainement du temps pour se détacher de lui, mais elle y parviendrait, se promit-elle.

D'ailleurs, elle avait commencé.

Et puis, cet après-midi, il lui avait téléphoné pour l'inviter à dîner ce soir. Bien que le son de sa voix suffît à la troubler, elle s'était forcée à résister à son envie d'accepter. Cet homme lui avait brisé le cœur ! Elle avait décliné, arguant du travail qu'elle avait rapporté chez elle, ce qui n'était pas tout à fait un mensonge car elle avait vraiment beaucoup de travail. Mais, quand il avait dit qu'il aimerait bien passer la voir, elle n'avait pas trouvé de raison de refuser sans se lancer dans une discussion forcément désagréable.

Il la frôla au passage et elle frémit. Elle aurait donné n'importe quoi pour être ailleurs. Puis il se tourna vers elle et lui tendit un petit bouquet de roses jaunes.

— Voilà, dit-il. J'ai pensé qu'elles vous plairaient.

Les roses jaunes étaient un témoignage d'amitié, tout le monde le savait. Au moins, comme cela, elle savait où elle en était.

— Merci, répondit-elle en posant le bouquet sur la table sans le regarder. Alors, que puis-je faire pour vous ? demanda-t-elle à Marcus de son ton le plus innocent.

— J'avais envie de vous voir, expliqua-t-il avec un sourire que démentait son regard vigilant. Vous m'avez manqué.

Elle serra les dents pour ne pas crier « A qui la faute ? » Ces dernières nuits, incapable de trouver le sommeil, elle s'était répété inlassablement que ça ne marcherait pas. Une relation avec Marcus était vouée à l'échec. Ils étaient trop différents. A l'évidence, il recherchait une relation sexuelle facile avec une femme qui n'attendrait rien de plus de lui. Une relation qui s'adapterait à son emploi du temps. Une relation qui ne mordrait pas sur le reste de sa vie, et surtout pas sur la façon dont il gobait les petites entreprises comme des bonbons. Mais, de son côté, elle voulait plus. Trop, sans doute. Son cœur se serra si fort qu'elle eut du mal à dissimuler sa tristesse.

— Oh, j'ai été assez occupée. J'imagine que vous aussi.

Il hocha la tête. Un silence s'établit que Sylvie refusa de rompre. Rien ne l'obligeait à mettre Marcus à l'aise, alors elle allait continuer d'attendre en souriant.

— Comment va votre tête ? s'enquit-il.

— Très bien.

— Tant mieux. Je me suis inquiété.

Alors pourquoi ne pas avoir appelé ? se demanda Sylvie qui sentait la colère monter en elle et renforcer sa décision de mettre fin à toute relation avec lui.

— Je regrette que vous n'ayez pas été libre pour dîner, reprit-il. Y a-t-il un jour qui vous conviendrait mieux ?

Elle inspira à fond.

— Non, répondit-elle calmement. Vraiment pas.

Une lueur s'alluma au fond de ses yeux.

— Pourquoi ? Votre compagnie m'est agréable, et je croyais que c'était réciproque.

— Compagnie… Voilà le mot qui compte, l'informa-t-elle en croisant les mains. Votre compagnie tente de détruire celle qui m'emploie. C'est pour cela que je ne veux pas dîner avec vous.

— C'est ridicule, jeta-t-il d'un ton tranchant.

Ça suffisait. Elle en avait assez. Au bord de l'ébullition, elle oublia la froide distance qu'elle avait voulu conserver jusqu'à la fin de leur entretien.

— Il est tout aussi ridicule de qualifier notre relation d'agréable. A mes yeux, elle était bien plus que cela ! Vous et moi… nous n'attendons pas les mêmes choses de la vie. Vous n'êtes pas le genre d'homme que je recherche, et je ne suis pas une femme pour vous.

— Nous ne sommes pas si différents que cela, reprit-il en faisant un effort visible pour se contrôler. Je trouve que nous allons même très bien ensemble.

— Ah bon ? dit-elle amèrement. Première nouvelle. Maintenant, prenez vos petites roses jaunes d'amitié et fichez le camp !

Mais il ne bougea pas et se contenta de secouer la tête.

— Il existe des liens très forts entre nous. Vous avez dit que vous aviez envie de faire l'amour avec moi.

— Plus maintenant.

— Ah oui ?

Elle comprit trop tard que Marcus y verrait un défi.

— Je n'ai plus rien à vous dire, déclara-t-elle en lui indiquant la porte. Au revoir.

— Moi non plus, je n'ai plus rien à vous dire, répliqua-t-il en la prenant par le bras et en l'attirant à lui.

— Marc… !

Il prit possession de ses lèvres avant qu'elle ait le temps de le repousser. Il l'enlaça étroitement pour la plaquer contre son corps dur tandis qu'il dévorait sa bouche avec un mélange d'avidité, de sensualité et d'agressivité qui exigeait une réponse. Quand il lui passa la main dans le dos pour la faire s'arquer contre lui, la passion qui émanait de lui la brûla.

Elle se débattait encore et cherchait à se dégager quand il leva la tête pour lui ordonner :

— Reste tranquille.

Et elle lui obéit. Pourtant, ce n'était pas comme si elle était une faible femme docile ; seulement, son ton autoritaire avait vaincu ses résistances. Figée entre ses bras, elle sentait sa poitrine se soulever au rythme de sa respiration. Les battements du cœur de Marcus résonnaient en elle et, peu à peu, elle sentit monter son désir. En un éclair de lucidité, elle sut ce qu'elle voulait.

C'était lui qu'elle voulait. Pourquoi se mentir ? Elle voulait faire l'amour avec lui au moins une fois avant que cette attirance sans issue ne se détruise — car elle savait que c'était inéluctable. Elle voulait lui donner tout son amour de la seule façon qu'il accepterait. Elle avait envie de goûter le vin enivrant du plaisir que lui promettaient ses baisers. Elle n'avait jamais rencontré un homme qui lui eût fait vivre les sensations que lui procurait Marcus. Et elle savait d'une certitude aussi terrible qu'irrévocable qu'elle n'en rencontrerait jamais d'autre.

Il la transperça de ses yeux verts chargés de désir. Elle vit qu'il allait parler et rompre la magie de l'instant.

— Chut…, dit-elle doucement en posant les doigts sur les lèvres de Marcus.

Puis elle passa un bras autour de son cou pour se serrer plus étroitement contre lui.

— Embrasse-moi, murmura-t-elle.

Elle fut surprise de le voir hésiter. Elle ressentait son désir, mais il ne faisait rien pour profiter de cet avantage.

— Nous ne nous en tiendrons pas à des baisers, la prévint-il. Si ce n'est pas ce que tu veux, il faut me le dire tout de suite.

Une douce chaleur envahit Sylvie. Même maintenant, alors qu'il aurait pu prendre ce qu'elle lui offrait, il lui laissait le choix. Elle leva le visage vers lui et lui déposa un doux baiser sur les lèvres.

— C'est ce que je veux, confirma-t-elle.

Alors, il l'embrassa de nouveau et la souleva dans ses bras. Agrippée à lui, elle se nicha au creux de son épaule.

Il la porta dans sa chambre et elle ne put s'empêcher de songer que, quand il serait parti, elle resterait seule avec ses souvenirs pour tout réconfort. Ce serait loin de suffire, mais elle devrait s'en contenter.

Cette idée la fit répondre aux caresses et aux baisers de Marcus avec un nouvel empressement. Il la posa debout à terre, puis se mit à la déshabiller adroitement, la caressant toujours avec possessivité. Ensuite, il l'étendit et ôta ses propres vêtements.

Il sut se montrer très doux et elle lui fut reconnaissante de l'avoir crue quand elle lui avait dit son manque d'expérience. Il la traita même comme si elle était vierge, la caressa et l'embrassa partout. Sa bouche faisait courir en elle des ondes de désir qui se succédaient si rapidement que, bientôt, elle se cambra contre lui et le pressa de venir en elle.

Et, quand il exauça sa prière et la posséda très lentement, elle ne ressentit aucune douleur mais au contraire une pression palpitante qui attisa encore les flammes de son désir. Là, elle s'enroula à lui comme une liane et se délecta de tout ce qui suivit...

Bientôt, elle sentit que la délivrance approchait pour Marcus. Le dernier assaut... Un gémissement rauque... Et le plaisir les emporta.

Quand, comblé, il roula sur le côté et la prit dans ses bras, elle crut que son cœur allait éclater d'amour, de bonheur... Mais le désespoir la saisit alors qu'elle songeait à la fugacité de ces instants.

Sylvie s'était réveillée dans ses bras. Il l'avait portée dans la douche et lui avait encore fait l'amour, l'eau ruisselant sur eux. Il avait pris les globes parfaits de ses seins dans ses mains et lui avait mordillé l'oreille jusqu'à la faire gémir de désir. Elle avait levé vers lui un visage radieux. Quand elle avait enroulé les jambes autour de sa taille, il s'était rappelé le jour de leur rencontre : il avait admiré ses jambes. Dès cet instant, il avait eu envie d'elle. Il avait été intrigué par son culot qui cachait des trésors de douceur et de tendresse, tout comme par sa volonté de fer. Et plus il en avait appris sur elle, plus elle l'avait attiré.

Et voilà où ils en étaient. Amants.

Mais quelque chose clochait, sans qu'il fût capable de mettre le doigt dessus. C'était comme un nuage noir au-dessus de sa tête qui assombrissait son bonheur. Sylvie était espiègle et heureuse comme il s'y attendait, mais…

Il avait appelé chez lui pour se faire apporter des vêtements de rechange. En attendant, il se mit à préparer le petit déjeuner pendant que Sylvie se séchait les cheveux. Elle avait des œufs et du bacon. Il supposa donc qu'elle en prenait le matin et se mit en devoir de les faire cuire.

Elle entra dans la cuisine au moment où il faisait glisser les œufs sur le plat dans une assiette.

— Pile au bon moment, commenta-t-il en souriant.

Elle s'assit et lui rendit son sourire. Elle rayonnait littéralement, au point qu'il se demanda s'il n'avait pas imaginé sa réserve tout à l'heure.

— C'est la première fois qu'un homme me fait la cuisine, déclara-t-elle.

— Tant mieux, répliqua-t-il d'un air satisfait. Comme ça tu ne l'oublieras pas.

Elle baissa les yeux vers son assiette. Elle souriait toujours mais son visage s'assombrit un peu.

— Non, confirma-t-elle, je ne t'oublierai jamais.

Marcus s'immobilisa. Cette phrase lui semblait un peu trop définitive alors qu'il avait voulu sa remarque plaisante et sans conséquence.

— Sylvie…

On sonna à la porte.

Il lâcha un juron avec tant de conviction qu'elle leva la tête et le regarda, visiblement choquée.

— Je vais ouvrir, dit-il. Ce doit être mon valet de chambre.

Il dut descendre déverrouiller la porte d'entrée. Quand il remonta, elle était en train de remplir le lave-vaisselle.

— Désolée de filer comme ça, lui dit-elle, mais j'ai une tonne de travail qui m'attend. Prends ton temps. Reste aussi longtemps que tu veux. Tu n'auras qu'à fermer derrière toi.

— Quel genre de travail ?

— Cette nouvelle campagne. Elle risque de m'occuper toute la semaine. Pourquoi ? ajouta-t-elle avec curiosité en prenant son manteau et son attaché-case.

Zut. Il ne tenait pas trop à savoir pourquoi, mais il avait envie de pouvoir l'imaginer dans son bureau, penser à elle et savoir ce qu'elle faisait.

— J'aimerais bien la voir, avança-t-il. Pas pour la modifier, se hâta-t-il d'ajouter devant son air méfiant. Juste pour savoir ce que tu fais.

Elle ouvrit de grands yeux surpris et lui adressa un sourire radieux. Et soudain, son expression se transforma en une vague mimique polie. Elle l'embrassa rapidement au passage avant d'ouvrir la porte.

— Avec plaisir, dit-elle. Viens quand tu veux.

Il comptait y aller le jour même, mais, en arrivant au bureau, il trouva une pile de messages et des choses urgentes à faire qui l'occupèrent toute la journée. Et, le soir, il avait un dîner d'affaires.

Vers 17 heures, il appela Sylvie.

— J'ai un dîner d'affaires ce soir qui risque de se terminer tard, alors je ne pourrai pas te voir, lui annonça-t-il quand elle décrocha.

Elle ne dit rien mais il sentit une interrogation dans son silence.

— Il m'a semblé que je devais te mettre au courant, expliqua-t-il.

Elle sembla hésiter encore un instant avant de répondre :

— Merci d'y avoir pensé.

Elle semblait un peu surprise.

Cela l'ennuya, alors que c'était lui qui avait décidé de ne se lier à elle que physiquement. « Ça t'apprendra », se dit-il.

— Il faut que je m'absente demain, ajouta-t-il. Je rentre dans la journée de jeudi. Veux-tu que nous nous voyions jeudi soir ?

— Hm… pourquoi pas.

Elle semblait si hésitante qu'il s'inquiéta.

— Tu n'as pas l'air très sûre, observa-t-il.

Son instinct lui criait d'oublier un peu son travail et d'aller la voir tout de suite. Il fallait qu'il la marque de son empreinte pour qu'elle comprenne qu'elle lui appartenait. Il fallait qu'elle comprenne qu'elle lui appartenait totalement.

— Ça me ferait très plaisir, assura-t-elle avec plus de chaleur. Tu veux venir dîner chez moi ? C'est à mon tour de te faire la cuisine.

— Avec plaisir.

Cette fois, il prendrait des affaires pour ne pas avoir à appeler chez lui le matin.

— Prends bien soin de toi, mon cœur, lui dit-il d'une voix plus basse. A dans deux jours.

— D'accord.

— Je vais te manquer ?

Il l'entendit pousser un soupir. Etait-ce de tristesse de le voir partir, ou d'exaspération d'être interrompue trop longtemps dans son travail ?

— Tu vas beaucoup me manquer, lui dit-elle, répondant sans le savoir à sa question.

Et le regret qu'il sentit dans sa voix le fit se détendre, satisfait.

— Tant mieux. Toi aussi, tu vas beaucoup me manquer.

136

Il l'appela au bureau le mardi. Il lui suffit d'entendre sa voix pour se sentir mieux. Le mercredi, il décida de ne pas lui téléphoner. Cette fois, il ne lui avait pas fait de promesse qu'elle risquerait de mal interpréter. Mais, à 9 heures du soir, étendu dans son lit d'hôtel, il se prit à regretter qu'elle ne fût pas auprès de lui. Ou plutôt dans ses bras, corrigea-t-il. Ce serait encore mieux. Des images d'elle ne cessaient de s'imposer à son esprit et il finit par y céder.

Quand elle dit « Allô », il se détendit si vite qu'il eut l'impression d'avoir les jambes en coton.

— Bonsoir.

— Marcus ! s'écria-t-elle aussitôt joyeusement. Tout se passe bien ? s'enquit-elle d'un ton plus modéré.

— Très bien. Je rentre demain et… Et demain à la même heure, ajouta-t-il à voix basse, je te tiendrai dans mes bras.

Elle laissa échapper un petit bruit qui attisa le désir de Marcus.

— Dépêche-toi de rentrer, ronronna-t-elle.

— J'aimerais être avec toi maintenant.

— Moi aussi, j'aimerais que tu sois là.

Ensuite, il lui raconta en détail ce qu'il avait envie de lui faire jusqu'à ce que tout son corps palpite de désir.

— Et dès que nous aurons récupéré, conclut-il, nous recommencerons.

— Tu es insupportable, le réprimanda-t-elle. Comment veux-tu que je dorme, maintenant ?

— Aussi mal que je vais dormir sans toi dans mes bras.

Elle ne répondit pas, et il se demanda lequel des deux était le plus choqué par cette réponse.

— Bon, finit-elle par murmurer, eh bien, à demain soir.

Une fois arrivé, il traversa les bureaux sans annoncer sa destination, laissant des réceptionnistes stupéfaites dans son sillage. Il voulait faire une surprise à Sylvie. Il savait à peu près où se trouvait son bureau car il avait regardé le jour de leur rencontre.

La porte était ouverte quand il s'approcha. Il entra dans la pièce et regarda autour de lui.

— Marcus ! s'écria-t-elle en le voyant.

Elle était assise à son bureau. Leurs regards se rencontrèrent. Elle se leva, vint se glisser entre ses bras et l'enlaça. Quand elle se rappela où elle se trouvait, elle frémit et voulut s'écarter. Mais il n'était pas d'humeur à la lâcher.

— Embrasse-moi, lui enjoignit-il en la plaquant contre lui d'une main et en passant l'autre dans ses cheveux pour lui incliner la tête en arrière.

Elle eut un murmure de protestation mais accueillit volontiers le baiser. Elle laissa Marcus l'embrasser aussi profondément qu'il l'osait dans un lieu public. Elle lui caressait les épaules et le dos. C'était si bon de sentir son corps souple contre le sien qu'il aurait voulu pouvoir les transporter dans un endroit plus privé d'un claquement de doigts.

— Je suis heureuse que tu sois rentré ! s'exclama-t-elle dès qu'il se détacha d'elle.

Et pour la première fois depuis qu'il la connaissait, depuis qu'il savait qu'il avait envie d'elle, pour la première fois de sa vie, le monde lui sembla parfait.

— Moi aussi, je suis heureux d'être rentré.

Il reconnaissait à peine sa propre voix. Il s'éclaircit la gorge et libéra Sylvie. Le désir que le contact de son corps avait éveillé lui tira une grimace.

— Tu peux partir, maintenant ? lui demanda-t-il.

La consternation se peignit sur ses traits et la tristesse envahit ses yeux noirs.

— Pas tout de suite, dit-elle à regret en se rajustant.

— Tu es sûre ? insista-t-il en lui prenant la main. Ton travail peut attendre demain, non ?

— Ce n'est pas le travail. Mon amie Maeve est là.

— Et alors ?

Il ne la suivait pas.

— Bien sûr, j'oubliais. Tu ne connais pas Maeve, dit-elle joyeusement en l'entraînant hors de la pièce. Je lui ai promis de l'accompagner aux toilettes avant que Wil et elle ne s'en aillent.

Il ne comprenait toujours pas. Il savait que Wil était son patron. Wil Hughes. Mais, quand elle ouvrit la porte du bureau voisin et le présenta à la femme de Wil, il comprit.

Maeve Hughes était en fauteuil roulant. Cette femme charmante d'une cinquantaine d'années le salua avec enthousiasme quand Sylvie eut fait les présentations. Il reconnaissait vaguement son mari, qui avait dû assister aux réunions de direction qu'il avait organisées.

— Sylvie m'a dit que vous vous étiez absenté, dit Maeve.

— Oui, et je suis bien content d'être de retour, assura-t-il en adressant un regard complice à Sylvie.

Quand il se retourna vers Maeve, il vit qu'elle en faisait autant avec son mari. Eh bien, il se fichait pas mal de savoir qui était au courant pour Sylvie et lui ! A vrai dire, il avait envie que tout le monde sache qu'ils étaient ensemble. Elle était sienne, songea-t-il avec une satisfaction quelque peu primaire. Il ne comprenait pas bien ce qui lui arrivait, mais peu importait. Il était là, avec Sylvie, et bientôt ils rentreraient chez elle et iraient directement dans son grand lit pour faire tout ce qu'il avait imaginé qu'il lui ferait pendant ces trois jours loin d'elle !

Après avoir bavardé quelques instants, Sylvie et Maeve quittèrent le bureau. Restés seuls, les deux hommes se turent un moment.

— J'ai entendu dire que Sylvie avait conçu une nouvelle campagne, énonça Marcus.

Hughes semblait si mal à l'aise qu'il voulait lui tendre une perche.

— Oui, répondit-il tandis que son visage s'éclairait. Elle a fait un travail remarquable. Vous voulez voir ?

Marcus le suivit dans le bureau de Sylvie et lui indiqua le chevalet posé dans un coin.

— Voici la présentation qu'elle a effectuée devant tout le service aujourd'hui, lui expliqua Wil. C'est pour la collection « Eternelle », notre nouvelle ligne de bagues de fiançailles et d'alliances. Quand j'ai demandé qui voulait ce projet, Sylvie s'est battue pour l'avoir. Il faut dire que c'est une de ses meilleures amies, Meredith Blair, qui a dessiné la collection. Sylvie trouve ses créations magnifiques et son admiration transparaît dans sa campagne.

— Je ne savais pas qu'elle était aussi impliquée dans la création publicitaire, observa Marcus. Je pensais que son rôle constituait surtout à superviser des équipes.

— Elle ne participe pas toujours au processus de création, précisa Wil. Mais, si vous la connaissez, vous devez savoir qu'elle n'est pas du genre à rester sur la touche. Il faut que je la laisse entrer en lice une ou deux fois par an, sinon elle me rend la vie impossible.

— Là, je vous comprends parfaitement, repartit Marcus en riant.

Ils riaient toujours quand le téléphone sonna dans le bureau de Wil qui s'excusa pour aller répondre.

Marcus resta devant le chevalet à admirer le travail de Sylvie. Elle avait un talent fou. Wil avait beau plaisanter, il sautait aux yeux qu'elle était particulièrement douée pour ce métier.

C'est alors qu'une jeune femme rousse entra en trombe dans le bureau.

— Salut, Sylvie ! Devine quoi, je…

Elle s'arrêta net, la bouche ouverte, et regarda fixement Marcus. Au bout d'un instant qui parut interminable, elle se ressaisit. Elle fit un pas en avant en tendant une main timide.

— Bonjour, monsieur Grey. Excusez-moi de vous avoir dérangé. Je cherchais Sylvie et…

Comment se faisait-il que tous ces gens le reconnaissaient au premier coup d'œil ? C'était sans doute à cause des bruits qui couraient sur son compte, songea-t-il en soupirant. S'il entendait dire que son poste était menacé, concéda-t-il, il chercherait sans doute à en savoir le plus possible sur celui ou celle qui le menaçait.

— Bonjour, répondit-il.

— Euh… Vous savez où est Sylvie ? balbutia la jeune femme, visiblement mal à l'aise.

— Avec la femme de Wil. Elle ne devrait pas tarder à revenir. Si vous voulez l'attendre.

— Inutile. Je la verrai demain, bredouilla-t-elle en se dirigeant vers la porte à reculons.

— Puis-je lui laisser un message ? s'enquit-il poliment alors qu'il n'avait qu'une envie : hurler à tous ces gens qu'il n'était pas leur ennemi.

— Non, non, c'est sans importance, assura-t-elle en lui présentant une photo. Je voulais lui donner la photo que nous avons faite de nos filles pour Noël. Elles ont six et quatre ans. Sylvie les garde de temps en temps, et elles l'adorent.

— Comme beaucoup de gens, commenta Marcus.

Le visage de la jeune femme s'adoucit et elle sourit.

141

— Oui, c'est vrai, confirma-t-elle avant de s'enfuir. Euh, j'ai été ravie de faire votre connaissance, monsieur. Je reviendrai la voir demain.

— Je ne suis pas votre ennemi, grommela Marcus.

Il s'interrompit au moment de tourner une page sur le chevalet. Non, il n'était pas leur ennemi, mais tous semblaient le croire. Il l'avait pensé lui-même quelques instants plus tôt. Si cette entreprise changeait de mains, son poste à lui ne serait pas menacé.

Il laissa lentement retomber son bras. Sylvie marquait un point, songea-t-il, mais il ne pouvait pas lui en vouloir puisqu'elle n'en avait même pas conscience. Elle lui avait présenté des gens qui faisaient partie de son monde, et son monde était Colette. Ses amis étaient Colette.

Wil avec sa femme en fauteuil roulant. Marcus savait que Maeve aurait du mal à obtenir une assurance ailleurs si Wil perdait son emploi. Jim et la jeune femme sans nom qui avait fait irruption dans son bureau étaient aussi des amis de Sylvie.

Colette n'était pas son ennemi à lui non plus, comprit-il. Et ce fut comme si on soulevait un énorme poids de son cœur. Sa mère lui avait dit la vérité sur l'escroquerie des émeraudes qui avait ruiné et détruit son père. Carl Colette n'y était pour rien. Les gens qui avaient quitté Van Arl pour entrer chez Colette cherchaient avant tout à faire vivre leur famille, à gagner leur vie. Ce changement avait été regrettable, mais parfaitement régulier.

Quant à son père, il avait été son propre ennemi, comprit-il. Pourquoi avait-il laissé son orgueil détruire sa famille ? Sa femme aurait continué de l'aimer en toutes circonstances. Elle n'avait jamais cessé de l'aimer, d'ailleurs, songea-t-il en se rappelant toutes les années où elle s'était raccrochée à l'espoir que, un jour, son mari reprendrait ses esprits.

Il songea à tout le chemin qu'il avait fait depuis le jour où il avait rencontré Sylvie. Quand il était entré dans la salle de réunion, ce matin-là, il était sur le point de fermer Colette. Certes, il aurait offert à ses employés de travailler pour les Entreprises Grey, mais la plupart des postes impliquaient de déménager, parfois loin. Il aurait déraciné des dizaines de familles sans autre motif que sa soif de vengeance.

Et maintenant... maintenant, il avait une bien meilleure idée. Il ne fermerait pas Colette. Il n'avait pas de raison de le faire. Certes, le cours de l'action baissait déjà un peu avant qu'il ne s'en mêle, mais le conseil d'administration n'était pas le meilleur gestionnaire qui soit. Avec lui aux commandes, en revanche, Colette pourrait revenir à la hauteur de sa réputation.

Il allait attendre quelques jours pour étudier toutes les ramifications légales avant d'en parler à Sylvie. Il la connaissait bien ; elle aurait des dizaines de questions à lui poser et il avait intérêt à être en mesure d'y répondre. Mais il ne voyait pas pourquoi une fusion qui ferait de Colette une filiale des Entreprises Grey tout en lui laissant une certaine autonomie lui semblerait abominable.

Une foule d'idées se bousculait dans son esprit quand Sylvie regagna son bureau. Il l'accueillit avec une exubérance qui parut l'étonner.

— Qu'est-ce qui te rend si joyeux ? voulut-elle savoir.

Il la serra dans ses bras en riant.

— Je suis avec toi. Pourquoi ne serais-je pas heureux ?

Il la ramena chez elle en lui tenant la main tout le trajet. Il ne voulait pas la lâcher. Le corps tendu par le désir et l'impatience, il la prit dans ses bras dès qu'elle eut refermé la porte de son appartement.

— Embrasse-moi, lui demanda-t-il. Je ne pense qu'à ça depuis une semaine.

143

Elle écarquilla les yeux et sourit de plaisir. Elle passa les bras autour de sa taille et lui offrit ses lèvres en se pressant contre lui.

Il avait attendu trop longtemps, comprit-il, le corps incandescent. Sans cesser d'embrasser Sylvie, il la défit de son manteau, puis ôta son propre vêtement, avant de la plaquer contre lui. Elle soupira, et Marcus s'embrasa. Il perdit tout contact avec le monde extérieur. Son monde, c'était Sylvie, et l'épanouissement que son corps souple et doux lui promettait.

Il ouvrit son chemisier d'un coup sec, puis prit ses seins en coupe, à travers la soie et la dentelle. Il joua, mordilla, taquina. Sylvie gémissait dans ses bras et s'agrippait à lui, le retenait à elle. Ils se laissèrent glisser à terre. Marcus desserra sa cravate et déboutonna sa chemise pour qu'elle puisse glisser les mains dessous et le caresser.

Sentir les mains de Sylvie courir sur sa peau était si sensuel qu'il laissa échapper un gémissement. Il désirait terriblement la jeune femme ; être séparé d'elle plus longtemps devenait insoutenable. Il lui prit le poignet et guida sa main jusqu'à la racine de son désir. Elle se figea un instant, et il se rappela que tout cela était nouveau pour elle. Mais, presque aussitôt, elle se mit à déboucler sa ceinture, puis à déboutonner son pantalon et à descendre la fermeture à glissière. Il gémit de nouveau quand elle effleura son sexe. A présent, elle tirait sur ses vêtements et, d'un geste hardi, elle le libéra et se mit à le caresser.

Il s'appuya voluptueusement contre sa main mais, bientôt, la sensation fut trop excitante pour être prolongée. Il ôta son chemisier à Sylvie, étendit la jeune femme sur le sol, et finit de la déshabiller. Là, il s'agenouilla entre ses cuisses et contempla le festin qui l'attendait. Oh… il la faisait rougir, et c'était délicieux. Elle lui ouvrit les bras.

Sans un mot, il se glissa sur elle et plongea dans son corps chaud et moite. Puis, tous deux retrouvèrent le rythme ancestral qui allait les mener au plaisir.

8.

Marcus lui demanda de déjeuner avec lui le mercredi de la semaine suivante. Vers midi, elle emprunta donc le couloir qui menait à son bureau, en chantonnant à mi-voix. Les décorations de Noël avaient envahi l'immeuble et donnaient un air de fête aux bureaux. Sylvie marchait lentement pour les admirer. Elle était un peu en avance, mais ce n'était pas grave. Il avait vu où elle travaillait et elle voulait en faire autant.

Ils avaient de nouveau fait l'amour une bonne partie de la nuit précédente et elle sentait tout son corps endolori et rendu comme plus sensible. Elle n'aurait jamais imaginé pouvoir éprouver tout ce que Marcus lui faisait ressentir. Ses joues s'empourpraient au souvenir des plaisirs extraordinaires qu'il lui avait fait découvrir ces derniers jours.

Elle ralentit en approchant de la porte qu'on lui avait indiquée, en proie à une timidité ridicule. Il ne l'avait pas laissée dormir seule une nuit depuis son retour.

— … voudrais amorcer les documents Colette au plus vite.

Elle s'arrêta en entendant la voix de Marcus. Quels documents Colette ? se demanda-t-elle en s'arrêtant. Quand elle comprit ce que cela signifiait, elle frissonna.

— Très bien, répondit une voix féminine qui devait être celle de son assistante. Dois-je organiser une réunion du conseil d'administration ?

— Non. Il ne reste plus qu'une autre actionnaire. J'en parlerai avec elle avant de réunir le conseil. Cela nous permettra d'accorder nos violons et personne ne pourra soulever d'objection.

Sylvie plaqua une main sur sa bouche pour retenir le cri d'horreur qui menaçait de lui échapper. Marcus poursuivait ses projets de liquidation de Colette ! Son cœur si léger un instant auparavant lui sembla soudain plombé. Ils avaient soigneusement évité d'en parler depuis son accident sur la glace, mais Sylvie était presque sûre que Marcus avait changé d'avis. Sa propre mère lui avait expliqué qu'il avait tort de reprocher à Colette les déboires de son père. N'avait-il donc rien entendu ?

Apparemment, non. A l'intérieur de l'homme qu'elle aimait se trouvait un petit garçon qui avait terriblement souffert quand sa famille et son monde avaient volé en éclats. Aucune explication ne parviendrait à gommer son désir de vengeance même s'il n'était pas mérité.

Il ne l'aimait pas.

Cette découverte lui fit l'effet d'un coup de poignard.

Elle avait eu beau se le répéter depuis qu'ils avaient commencé de faire l'amour ensemble, son cœur n'y croyait pas. Marcus s'était montré si tendre avec elle, il avait semblé avoir besoin d'être avec elle tout le temps, il avait voulu la voir tous les soirs. Il ne lui avait pas dit qu'il l'aimait, mais elle l'avait senti.

Du moins l'avait-elle cru.

Elle se hâta de rebrousser chemin. Il y avait des toilettes près de l'ascenseur ; elle s'y engouffra. Par chance, il n'y avait personne. Elle ferma le verrou, se laissa tomber sur la banquette à côté de la porte et enfouit la tête entre ses mains.

Que faire ? Elle ne pouvait pas rester avec lui comme si de rien n'était tandis que son cœur saignait.

« Tout est ta faute », se morigéna-t-elle. Il ne lui avait jamais dit qu'il renoncerait à ses plans concernant Colette. Il ne lui avait jamais dit qu'il comprenait son attachement ni qu'il avait abandonné son idée de reprise. A vrai dire, il ne lui avait jamais parlé de tout cela. D'ailleurs, il ne faisait part de ses sentiments que contraint et forcé. Des larmes lui brûlaient les yeux. Elle les écrasa de ses paumes pour ne pas les laisser couler.

Quand son téléphone portable sonna dans son sac, elle fit un bond. Elle l'ouvrit les mains tremblantes.

— Allô ?

— Salut, ma chérie. Où es-tu ?

Elle se glaça. Marcus. Sans réfléchir, elle appuya sur le bouton rouge pour lui raccrocher au nez et se précipita dans l'ascenseur. Elle sortait tout juste de l'immeuble des Entreprises Grey quand il sonna de nouveau. Elle l'ignora. Elle sauta dans un taxi à qui elle donna l'adresse de chez elle, puis elle rouvrit son téléphone pour appeler Wil. Quand elle lui dit qu'elle avait besoin de sa journée, il accepta tout de suite, mais s'inquiéta.

— Sylvie. Il n'y a rien de grave, au moins ?

— Non, non, assura-t-elle d'une voix la plus égale possible. J'ai juste un million de choses à faire avant les vacances et je me rends compte que le temps presse.

— Que dois-je dire à Marcus quand il appellera ?

Cette question la prit au dépourvu.

— Je… euh…

— Parce qu'il a déjà appelé une fois, ajouta Wil. Je lui ai dit que je croyais que vous étiez sortie déjeuner.

Zut, zut et re-zut ! songea-t-elle en fermant les yeux. Elle se concentra et répondit du ton le plus détaché possible :

— Je vais le joindre tout de suite pour qu'il arrête de me suivre à la trace. Comme ça, il ne devrait plus avoir besoin de vous appeler.

Quand elle mit fin à la conversation, elle avait les mains tremblantes. A contrecœur, elle composa le numéro de sa ligne directe.

— Marcus Grey, annonça-t-il d'une voix préoccupée.

— Marcus...

— Sylvie ! Où es-tu ? J'ai essayé de te téléphoner tout à l'heure mais nous avons été coupés et ensuite, je n'ai pas réussi à te joindre. Es-tu en route ?

— Non. Je ne vais pas pouvoir venir, ajouta-t-elle après s'être éclairci la gorge.

— Mais je viens de parler à Wil qui m'a dit que tu étais sortie déjeuner. Est-ce que tout va bien ?

— Oui, oui, tout va bien. J'ai juste... Il faut que je m'absente quelques jours. Je t'appelle à mon retour.

— Il faut que tu t'absentes ? répéta-t-il, sceptique. Pour le travail ?

— Non, parvint-elle à articuler.

Elle avait horreur de mentir, mais elle n'avait pas la force d'affronter la scène qu'il ne manquerait pas de lui faire quand elle lui dirait la vérité.

— Un vieil ami a besoin de moi, expliqua-t-elle.

— Je vois, dit-il après un court silence. Sylvie à la rescousse, comme d'habitude. D'accord, ma chérie, mais appelle-moi le plus vite possible.

— Entendu. Désolée, je n'ai plus de réseau. A bientôt.

Elle referma son téléphone au moment où le taxi s'arrêtait devant le 20, Amber Street.

Elle paya et monta chez elle en courant. Au milieu de la journée, la vieille maison était très calme. Presque tous les occupants travaillaient à l'extérieur. Quant à Rose, elle devait

149

faire du bénévolat quelque part. Ou alors travailler chez le traiteur, se rappela-t-elle soudain. Sylvie eut honte. Elle avait vraiment été nulle, sur ce coup-là. Elle avait eu l'intention de réunir quelques autres locataires pour leur raconter ce qu'elle avait découvert. Mais, dans le tumulte des semaines qui avaient suivi l'entrée de Marcus dans sa vie, elle avait complètement oublié.

Elle entra dans son appartement et, contrairement à son habitude, laissa tomber son sac à main et son manteau sur le sol. Que faire ? Elle ne s'imaginait pas restant à Youngsville maintenant. Elle ne savait pas comment sa relation avec Marcus allait tourner. Elle avait deviné dès le début qu'ils n'étaient pas faits l'un pour l'autre, mais elle avait laissé son cœur l'emporter sur sa raison. Et, si la première fois qu'elle avait fait l'amour avec lui, elle imaginait bien que cela ne durerait pas, la semaine dernière, elle avait commencé de se dire que, au fond, tout était possible, au contraire…

Mais ce n'était pas vrai. Les larmes qu'elle avait contenues tout à l'heure se mirent à rouler sur ses joues, de plus en plus nombreuses. Pour s'en sortir, elle n'avait qu'un moyen : partir. Mais où ? Elle n'avait jamais vécu ailleurs qu'à Youngsville, sauf pour finir ses études à l'université de l'Indiana. Mais, à peine son diplôme obtenu, elle était rentrée puisqu'elle avait déjà l'offre de Colette. A propos d'offre…

Un souvenir relativement récent lui revint subitement. San Diego ! Quatre mois auparavant, alors qu'elle ne connaissait pas encore Marcus, elle s'était rendue à un salon de la joaillerie dans cette ville. Colette y présentait ses nouveaux modèles. Elle avait notamment parlé assez longtemps avec un homme qui était passé au stand et, quand il lui avait donné sa carte, elle s'était rendu compte qu'il s'agissait d'un des plus grands joailliers du pays. Dire qu'elle s'était permis de lui faire un cours sur les campagnes de marketing agressives ! Elle aurait voulu rentrer dans un trou de souris. Mais apparemment Charles Martin, l'homme en question, avait été favorablement impressionné. Il était repassé au stand le lendemain pour lui faire une offre d'emploi. Une offre très généreuse.

Une offre d'emploi ! Elle avait été aussi stupéfaite que flattée, mais elle lui avait expliqué qu'elle était très heureuse chez Colette. Cependant, M. Martin lui avait gentiment tapoté la main quand elle avait refusé et lui avait dit de ne pas hésiter à l'appeler si jamais elle changeait d'avis.

Sans se laisser le temps de dresser la liste des raisons pour lesquelles elle serait folle de prendre une décision hâtive, elle avait retrouvé sa carte dans son fichier et décroché le téléphone.

Dix minutes plus tard, elle avait décroché un entretien le vendredi et réservait un billet d'avion. Elle allait partir en fin de journée et passer quarante-huit heures à San Diego. Elle avait peut-être le cœur brisé, songea-t-elle en appelant son supérieur pour lui demander les jours de congé nécessaires, mais elle refusait de se réfugier dans son lit en rabattant les couvertures par-dessus sa tête.

Pourtant, c'était ce qu'elle avait envie de faire. Après avoir parlé avec Wil, elle prit sa valise au fond du placard et commença d'y jeter des vêtements au hasard, sans rien plier, ce qui ne lui ressemblait pas du tout. Et elle sentit revenir les larmes. Et, cette fois, elle s'écroula sur son lit et se laissa aller à pleurer ses rêves brisés.

On était dimanche après-midi. Marcus se tenait dans l'encadrement de la porte de chez Sylvie. De sa vie il n'avait été aussi en colère. Il lui avait laissé des dizaines de messages lui demandant de le rappeler, chez elle et sur son portable qu'elle prétendait avoir oublié quand elle était partie en Californie.

— A San Diego, répondit-elle. Comment as-tu su que j'étais rentrée ?

D'ordinaire si vivante, Sylvie semblait éteinte et atone. Et surtout, elle évitait son regard.

— J'ai appelé Rose à peu près toutes les heures, expliqua-t-il furieux. Peux-tu me faire part de la raison pour laquelle tu ne m'as pas appelé pendant quatre jours ?

— Je suis désolée, dit-elle en haussant les épaules. J'ai été très occupée, et j'ai oublié.

Il n'était pas né de la dernière pluie. Il s'avança vers elle et la coinça dans la cuisine, dos au comptoir. Il se pencha vers elle, délibérément menaçant.

— A d'autres. Quand deux êtres font l'amour avec autant de passion que nous, ils n'oublient pas comme cela.

— D'accord, reprit-elle en passant sous son bras pour se dégager. Arrête de crier, lui ordonna-t-elle un peu à la façon de la Sylvie normale.

Elle respira profondément. La tristesse qu'il lut sur son visage inquiéta Marcus.

— Tu ferais mieux de t'asseoir. J'ai quelque chose à te dire.

Il hésita, plus déstabilisé qu'il ne l'aurait voulu par le son de sa voix.

— Quoi donc ?

— Assieds-toi, répéta-t-elle en passant devant lui pour aller se percher sur le bord d'un fauteuil du salon.

Il la suivit lentement. Il aurait préféré s'installer sur le canapé, un bras autour des épaules de Sylvie, mais elle était irritable et méfiante. D'accord, il n'aurait pas dû crier. Après tout, il lui avait déjà fait exactement le même coup : s'absenter plusieurs jours sans donner de nouvelles. Son cœur se serra quand il se rappela combien elle en avait souffert. Mais c'était arrivé des semaines auparavant, quand il essayait encore de faire comme

152

s'il n'envisageait qu'un petit flirt agréable et distrayant avec elle. Sylvie, elle, n'avait pas ce genre d'excuse.

Elle prit une profonde inspiration qui le tira de ses pensées.

— Parle, lui ordonna-t-il.

Elle ferma les yeux et joignit les mains. Ses yeux noirs d'ordinaire pétillants étaient implacables.

— Je démissionne. Je pars à la fin du mois. J'ai été embauchée par Martin Gems, à San Diego.

Ce n'était pas possible. Il devait avoir mal entendu.

— Non, se contenta-t-il de dire.

— Si. Je suis désolée de te l'annoncer si brusquement.

Il sauta sur ses pieds. Sa rage redoubla.

— Mais pourquoi, nom de Dieu ? Je croyais que nous… que tu…

Il s'interrompit, incapable d'exprimer ses pensées tumultueuses.

Elle hocha la tête et lui adressa un sourire mélancolique.

— Oui, je sais ce que tu croyais. Tu croyais que j'étais folle de toi au point d'être à ta disposition quand tu voudrais, où tu voudrais, aussi longtemps que tu voudrais.

Elle semblait plus résignée qu'accusatrice, et pourtant ses paroles le brûlèrent et le mirent mal à l'aise.

— Sylvie… je croyais que notre… attirance était réciproque. Que pourrais-je dire pour te faire changer d'avis ? Je ne veux pas que tu partes à San Diego.

— Pourquoi ?

Il resta un instant interdit devant cette question toute simple.

— Comment cela, pourquoi ?

— Pourquoi ne veux-tu pas que je parte ? précisa-t-elle patiemment.

Elle lui paraissait étrangement prudente et, surtout, il crut voir briller une lueur d'espoir dans son regard.

Il hésita, et des nuages de tristesse voilèrent les yeux noirs de Sylvie.

— Je veux que tu restes, déclara-t-il. C'est tout. Et je sais que tu as envie de rester avec moi. Il se passe quelque chose de bien entre nous. Pourquoi compliques-tu les choses plus que nécessaire ?

— Inutile d'en discuter toute la nuit, dit-elle calmement en se levant et en allant à la porte. Ma lettre de démission sera sur le bureau de Wil demain.

Il la suivit et essaya de lui prendre la main, mais elle ne se laissa pas faire.

— Rien ne t'oblige à faire ça, protesta-t-il. Sylvie, *je t'en prie*, reste.

Au désespoir, il la prit dans ses bras et se pencha vers elle, mais elle détourna le visage. Elle ne voulait ni l'enlacer, ni l'embrasser. Il la sentait aussi raide qu'une planche. Alors, quand elle le repoussa, il la libéra sans résistance.

— Tant d'années…, murmura-t-elle d'une voix à peine audible. Il m'a fallu tant d'années pour comprendre que je méritais quelqu'un dans ma vie. Quelqu'un à aimer et avec qui passer le restant de mes jours. Je ne veux pas me contenter de moins ; or, apparemment, c'est tout ce que tu as à offrir. Je t'aime, Marcus, ajouta-t-elle en le regardant dans les yeux. Je t'aime pratiquement depuis notre rencontre, mais je ne vais pas quémander tes sentiments. Tu te retranches derrière des remparts parce que tu as décidé de ne plus jamais souffrir ni laisser quelqu'un te faire souffrir comme l'a fait ton père. Mais, Marcus, je te signale que la souffrance fait partie de la vie, et de l'amour. Tu n'imagines pas toutes les joies que tu manques, derrière tes murs.

— Sylvie, ma chérie…

— Non, contra-t-elle avec une touche de son mordant habituel. Je t'ai laissé me faire souffrir, et c'est en grande partie ma faute. Je voulais quelqu'un que tu n'étais pas. Quelqu'un de plus noble, qui ne soit pas animé par un désir de vengeance. Alors je n'ai pas été honnête avec toi non plus. Mais… mais je ne te laisserai pas me gâcher la vie, ajouta-t-elle en serrant les poings. Je finirai par t'oublier.

— Enfin… tu viens de dire que tu m'aimais…, observa-t-il d'une voix pathétique.

— Je viens aussi de dire que je t'oublierais. Va-t'en !

Stupéfait, Marcus resta figé sur place à la regarder tandis qu'elle ouvrait brutalement la porte et, d'un geste, lui signifiait de sortir.

Il obtempéra mécaniquement, comme étourdi, essayant d'assimiler ce qu'elle venait de dire.

Et, avant qu'il ait trouvé quelque chose à répondre, la porte se referma derrière lui et il se retrouva dans le couloir à écouter Sylvie pleurer dans son appartement.

Son instinct lui souffla d'enfoncer la porte et de prendre la jeune femme dans ses bras. C'eût été une erreur. Il connaissait Sylvie. Elle avait une volonté de fer, largement à la hauteur de la sienne. Elle pensait ce qu'elle lui avait dit, et elle n'était pas près de le laisser la convaincre de changer d'avis…

Il descendit lentement l'escalier. Il trouva Rose dans l'entrée, en train d'arroser le palmier en pot qui se dressait à côté de la rampe. Elle leva les yeux vers lui et le regarda en silence jusqu'à ce qu'il arrive à sa hauteur.

— Elle m'aime, annonça-t-il d'une voix rauque, mais elle s'en va. Elle déménage à San Diego.

— Pourquoi ? voulut savoir Rose.

Il réfléchit un moment avant de répondre.

— Je n'en sais rien ! Si elle m'aime, pourquoi veut-elle me quitter ?

Il fixa Rose, les yeux brûlants. Elle le regardait sans rien dire, la tête inclinée sur le côté. Et soudain, il comprit.

— Elle croit que je ne l'aime pas !

— Et vous l'aimez ? s'enquit l'amie de Sylvie en croisant les bras.

Il inspira à fond. Il avait l'impression d'être sur le point de sauter d'un avion sans parachute. Mais n'était-ce pas ce que Sylvie venait de faire ? Si, comprit-il, et il l'avait laissée s'écraser au sol.

— Oui, répondit-il lentement. Oui, je l'aime, ajouta-t-il plus haut.

En souriant, Rose se remit à arroser sa plante.

— Laissez le temps à sa douleur de se calmer et, ensuite, dites-le-lui.

Tremblant de frustration, tout son être lui enjoignait d'aller tambouriner à la porte de Sylvie, jusqu'à ce qu'elle l'écoute. Mais… mais Rose avait raison.

— Combien de temps ? lui demanda-t-il.

— Un jour ou deux, peut-être ?

Lui laisser le temps de réfléchir… bien sûr ! Il avait presque peur de se laisser aller à espérer que l'idée qu'il était en train d'élaborer pourrait marcher. Mais, le cœur brisé, il regardait son monde s'effondrer et se rendait compte de ce qu'il avait perdu et qu'il ne retrouverait peut-être jamais. Alors il n'avait pas le choix. Il devait tenter le tout pour le tout.

Sinon, il n'avait aucune chance de tenir de nouveau Sylvie dans ses bras.

— Rose, dit-il lentement, j'ai un problème à vous soumettre.

— Un jour, promit-il, je vous raconterai toutes les âneries que j'ai faites pendant que j'essayais de convaincre Maeve de m'épouser. Croyez-moi, vous n'êtes pas le premier à n'avoir aucune idée de ce qui se passe dans la tête d'une femme.

Et, quand Marcus demanda l'aide de Wil, ce dernier approuva son plan sans hésitation.

— Elle n'entendra jamais parler de cette conversation, promit-il.

Après avoir raccroché, Marcus se renversa dans son fauteuil et s'autorisa une seconde d'espoir. Il avait mis en branle ce qu'il espérait qui serait la réunion du personnel la plus importante de toute l'histoire de Colette. Et, si tout se passait comme prévu, Sylvie lui pardonnerait.

Comme elle s'y attendait, Wil arriva quelques instants plus tard, accrocha son manteau à la patère et dit à Sylvie qu'il était content de la revoir. Puis il sortit chercher des cafés. Ce ne fut qu'à son retour qu'il regarda sur son bureau. Aussitôt, il vint trouver Sylvie.

— Qu'est-ce que c'est que ça ? s'écria-t-il en brandissant sa lettre avec tant de force qu'elle crut que le papier allait se déchirer.

Sylvie hésita un instant. Elle avait su que cela allait être dur. Mais elle ne s'était pas doutée à quel point.

— On m'a proposé un poste à San Diego, expliqua-t-elle la gorge nouée. Je démissionne.

— San Diego ! s'exclama-t-il visiblement surpris. Mais vous ne m'en avez jamais parlé ! Pourquoi ? Vous n'êtes pas bien, ici ?

— Bien sûr que si, affirma-t-elle les larmes aux yeux. Mais il s'agit d'une offre très intéressante que je ne peux pas me permettre de refuser.

157

— C'est à cause de la reprise, n'est-ce pas ? Vous avez peur de perdre votre emploi. Mais je n'imagine pas Marcus vous licenciant.

Les larmes roulaient de plus en plus vite sur les joues de Sylvie.

— Cela n'a rien à voir avec la reprise, assura-t-elle même si sa conscience lui interdisait d'affirmer que sa décision n'avait rien à voir avec Marcus. Simplement, il faut que je le fasse.

Son supérieur fixa sur elle un regard accusateur.

— Maeve va être hors d'elle quand je lui dirai que vous partez en Californie. D'ailleurs, ajouta-t-il en plissant les yeux, je ne le lui dirai pas. Vous n'aurez qu'à vous charger du sale boulot vous-même.

— D'accord, murmura-t-elle. Je l'appellerai dans l'après-midi.

— Votre décision est vraiment très soudaine, observa Wil. Qu'est-ce qui a pu vous faire réagir aussi vite ? D'ailleurs, conclut-il en pointant le doigt vers elle, je refuse d'accepter cette lettre.

— Mais vous y êtes obligé ! protesta-t-elle.

— Je refuse, répéta-t-il en posant brutalement la lettre sur le bureau de Sylvie.

Soudain, la colère s'empara d'elle et elle perdit toute maîtrise.

— Non ! Vous acceptez ma démission. Parce que je ne m'en vais pas à la fin de l'année : je m'en vais *aujourd'hui* !

Elle se leva si vivement que son fauteuil recula et alla cogner contre les étagères derrière son bureau. Puis elle prit son sac dans le tiroir inférieur, décrocha son manteau et sortit.

Elle n'était pas arrivée à l'ascenseur qu'elle commença de se calmer et que la honte l'envahit. Pourquoi avait-elle rudoyé ce pauvre Wil comme cela ? Ce n'était pas à lui qu'elle en voulait, pourtant. D'ailleurs, elle n'en voulait vraiment à personne ; elle souffrait. Quoi qu'il en soit, ce n'était pas Wil qui lui avait brisé le cœur et elle avait été injuste de le traiter aussi mal. N'empêche… maintenant, il lui serait plus facile de trancher dans le vif.

Elle sortit de l'immeuble et regagna Amber Street d'un pas énergique. Ce soir, elle appellerait Wil pour lui présenter ses excuses — mais ne reviendrait pas sur sa décision de démissionner. Il fallait qu'elle s'en aille au plus vite.

Et partir n'allait pas être facile. Rose et ses trois meilleures amies, Meredith, Jayne et Lila allaient être effondrées. Rester là encore quelques semaines au cours desquelles elles ne manqueraient pas d'essayer de la faire changer d'avis serait insoutenable.

Oui, il fallait qu'elle rompe d'un coup net avec son ancienne vie.

Car elle connaissait bien Marcus. Il avait horreur de perdre, professionnellement comme dans tous les domaines. D'ailleurs, c'était la raison pour laquelle il avait autant réagi à son annonce. Elle en était convaincue.

Elle n'aurait jamais dû essayer de lui parler de son départ. Si elle avait réfléchi, elle aurait agi tout différemment. Marcus était habitué à prendre des décisions, à ce que tout repose sur lui. Elle imaginait facilement l'exaltation qui devait se peindre sur son visage quand il concluait un nouveau marché.

Il avait horreur de perdre. Or c'était ainsi qu'il allait percevoir sa démission. Il ne voudrait pas être celui que tout le monde montrait du doigt, celui dans le dos de qui tout le monde riait. Celui qui avait été plaqué par une employée de Colette. Elle aurait dû attendre. Elle aurait dû garder sa décision secrète jusqu'au dernier moment.

Alors, elle n'aurait rien brisé d'autre que son cœur à elle.

9.

....
....
....
....
....
....
....
....
....
....

Le lendemain matin, elle était en train de dresser la liste de tout ce qu'elle aurait à faire pour laisser son appartement en état pour le prochain locataire quand le téléphone sonna.

Quoique tentée de l'ignorer, Sylvie se força à se lever pour aller répondre. Elle avait passé une nuit blanche à osciller entre le désespoir et les larmes, qui lui avait laissé la gorge en feu et les yeux boursouflés. Bref, elle n'avait envie de parler à personne, d'autant qu'elle se doutait que les gens qui l'appelleraient seraient pour la plupart des amis qui chercheraient à la dissuader de quitter Colette et Youngsville.

— Bonjour, Sylvie.

Elle reconnut aussitôt la voix de Wil.

— Wil. Qu'est-ce qu'il y a ?

Elle l'avait appelé la veille au soir pour lui présenter ses excuses. Elle avait également annoncé la nouvelle de son départ à Maeve. Alors que pouvait-il lui vouloir ?

— Je viens d'apprendre que Marcus convoque tout le personnel de Colette pour une réunion lundi à 16 heures, annonça-t-il. Sylvie ? ajouta-t-il comme elle ne disait rien.

— Pourquoi me dites-vous cela, Wil ? s'enquit-elle calmement. Je ne fais plus partie du personnel de Colette.

— Théoriquement, si, objecta-t-il. Je considère votre absence comme des congés payés jusqu'à la fin des jours auxquels

160

vous avez droit. Au fait, vous savez combien vous en avez ?
Vous ne prenez donc jamais de vacances ?

— Rarement, confirma-t-elle. Wil, j'apprécie votre geste,
mais…

— Colette a besoin de vous, expliqua-t-il avec une fermeté
qui contrastait étonnamment avec la douceur habituelle de
son ton. Cela fait des mois que vous entraînez tout le monde
dans la lutte contre la reprise. Vous avez tout organisé tout
en soutenant le moral des troupes. De quoi tout cela aura-t-il
l'air si vous partez ?

— Personne n'est irremplaçable.

— Ne vous sous-estimez pas. Réfléchissez-y, au moins, lui
enjoignit-il. Vous êtes idéalement placée pour prendre la tête
des protestataires : comme vous avez déjà démissionné, on
ne peut pas vous licencier. Vous devez au moins cela à vos
amis de chez Colette.

Sylvie sentait bien qu'il était en train de la manipuler.
Mais… mais il n'avait pas tout à fait tort. Elle ne pouvait pas
s'en aller en tournant le dos à toutes les responsabilités qu'elle
avait prises vis-à-vis de ses collègues et amis. C'était bien
l'unique raison pour laquelle elle allait accepter d'assister à
la réunion. Marcus serait présent, et alors ? Qu'est-ce que ça
pouvait faire ? Ce n'était pas comme si elle avait *besoin* de
le revoir une dernière fois. Pourtant, cette perspective faisait accélérer les battements de son cœur, et elle s'en voulut.
Désormais, Marcus appartenait à son passé.

— D'accord, convint-elle dans un soupir. J'y serai.

Mais, alors qu'elle se remettait à ses cartons, la sonnerie
du téléphone retentit de nouveau. Cette fois, c'était Rose.

— Tu veux venir dîner lundi soir ? lui proposa-t-elle. Jayne,
Meredith et Lila sont libres.

— Vous ne travaillez pas à la Soupe populaire, le lundi soir ? s'étonna Sylvie qui n'avait aucune envie de se retrouver confrontée aux questions de ses quatre amies.

— Pas cette semaine, expliqua Rose joyeusement.

— Ah bon. Eh bien alors, ça me va aussi.

Elle redoutait d'annoncer à Rose et aux autres qu'elle allait quitter l'Indiana. D'ailleurs, ses amies l'apprendraient sûrement avant par le bouche à oreille du bureau. Certes, ce ne serait pas une partie de plaisir, mais leur dîner mensuel constituerait une bonne occasion d'informer Rose de sa décision et de l'expliquer aux autres — en une seule fois.

Elle eut l'impression que le dimanche n'en finissait pas. Après être allée à la messe le matin, elle se remit à la tâche fastidieuse d'emballer ses affaires. Et quand arriva le lundi après-midi elle n'avait plus qu'une hâte : en finir au plus vite avec sa dernière réunion chez Colette.

Elle éprouvait un certain trac à la perspective de revoir Marcus, mélange d'envie et de crainte. Il était le genre d'homme à attaquer la vie de front. Et elle se doutait qu'il n'avait pas fini d'essayer de la convaincre de changer d'avis. D'accord, la surprise l'avait rendu muet quand Sylvie l'avait chassé de chez elle, vendredi soir, mais, depuis, il avait sûrement rebondi.

D'un autre côté, il ne l'avait pas appelée. Il n'était pas passé la voir. Si ça se trouvait, il avait accepté sa décision. Peut-être même le soulageait-elle.

Elle s'habilla avec le plus grand soin pour la réunion, optant pour un tailleur bleu marine gansé de blanc qui avait un petit côté marin et seyait particulièrement à sa silhouette. Quitte à faire les choses, songea-t-elle en se regardant dans le grand miroir fixé à la porte de sa chambre, autant les faire bien.

La broche de Rose était posée sur sa commode. Elle hésita un instant et passa doucement le doigt sur son contour en forme de cœur. Rose n'avait eu raison qu'en partie quand

162

elle avait évoqué les « pouvoirs » de ce bijou. Oui, elle avait rencontré le seul homme qu'elle pourrait aimer. Mais, contrairement à ce qui s'était produit pour ses amies, le « happy end » n'aurait pas lieu…

Elle planta les dents dans sa lèvre inférieure pour en réprimer le tremblement — qui collait mal avec l'image qu'elle voulait donner d'elle-même. Elle s'écarta brusquement de la broche, et sortit.

Malgré le vent glacial, elle fit à pied le trajet jusque chez Colette. Elle rectifia sa coiffure et son maquillage dans les toilettes du rez-de-chaussée, inspira à fond et se rendit dans la salle de conférences où elle entra derrière un petit groupe de retardataires. Elle était presque en retard, exactement comme elle l'avait prévu. Ainsi, elle n'aurait le temps de bavarder avec personne avant le début de la réunion.

Néanmoins, son entrée fut saluée par des murmures et quelques sourires heureux. Elle était sûre que, maintenant, la nouvelle de son départ devait s'être répandue dans toute l'entreprise. Pourvu que sa présence ne fasse pas croire à ses collègues qu'elle avait changé d'avis…

Elle prit soin de ne pas regarder le devant de la salle et s'installa au fond, à côté de Meredith qui lui faisait signe qu'elle lui avait gardé une place.

Elle n'était pas encore assise que Marcus prit la parole pour souhaiter la bienvenue à tout le monde et entamer son laïus. Elle se força à lever les yeux et feignit de s'intéresser à ce qu'il disait. Il avait braqué son regard sur elle. L'espace d'un instant, quand ses yeux verts plongèrent dans les siens, elle crut perdre pied et sentit sa respiration s'accélérer.

Comment pourrait-elle le quitter, mon Dieu ? Elle se détourna et se mit à fixer ses escarpins bleu marine tout en écoutant Marcus.

— ... sais que vous avez entendu de nombreuses rumeurs quant à ce que votre entreprise allait devenir sous ma directions, disait-il. Aujourd'hui, je compte vous faire part de mes projets. Mais, tout d'abord, je voudrais vous présenter l'autre personne qui possède toujours des parts de l'entreprise, le seul membre encore vivant de la famille Colette.

Il se dirigea vers une porte de côté et fit entrer quelqu'un.

— Voici Mme Rose Colette Carson, annonça-t-il.

Rose Colette Carson. A côté d'elle, Meredith eut un petit cri de surprise et se cramponna à son bras. Sylvie regardait sa propriétaire et amie s'avancer vers le devant de la salle au bras de Marcus et mit un moment à comprendre ce qui se passait. Il la conduisit au micro qu'elle régla comme si elle avait fait cela toute sa vie. Rose ? Rose Colette ? se répéta Sylvie en secouant la tête.

— Bonjour, mes amis. Je suis sûre que cette nouvelle vous surprend tous.

— C'est le moins qu'on puisse dire, commenta Meredith à mi-voix, en lâchant le bras de Sylvie.

— Eh bien, figurez-vous qu'elle me surprend moi-même, poursuivit Rose avec ce regard pétillant que Sylvie connaissait si bien. J'ai quitté Youngsville — et Colette — il y a bien des années. Mais après la mort de mon père, quand ma mère m'a priée de revenir, je n'ai pas pu refuser. Cependant, je n'avais pas envie de reprendre un rôle actif dans la direction de l'entreprise. Comme vous, je me suis inquiétée quand j'ai appris que les Entreprises Grey avaient acquis suffisamment de parts pour prendre le contrôle de l'entreprise et, comme vous, j'avais certaines craintes pour l'avenir. Mais, aujourd'hui, je suis là pour vous annoncer une excellente nouvelle, déclara-t-elle en adressant un grand sourire à Marcus. M. Grey et moi avons l'intention de conserver à Colette son activité actuelle : la joaillerie de luxe…

Cette information fut saluée par un tonnerre d'applaudissements.

Rose s'interrompit en souriant jusqu'à ce que le calme revienne.

— Cependant, reprit-elle, nous avons aussi un autre projet : lui adjoindre une branche proposant des bijoux toujours très beaux mais plus abordables. Ma philosophie diffère de celle de mon père, expliqua-t-elle d'un ton plus sérieux. J'estime que tout le monde devrait avoir la possibilité de profiter de beaux bijoux et c'est ce à quoi va servir notre nouvelle ligne.

A mesure qu'elle parlait, sa voix se faisait plus forte et plus assurée ; et, quand elle eut fini, l'assistance, debout, manifestait sa joie. Marcus vint lui serrer la main ; tous deux semblaient enchantés.

Quand tout le monde se fut rassis, Marcus reprit la parole pour expliquer plus en détail le concept qu'ils avaient créé et pour répondre aux questions. Sylvie se garda bien de le regarder. Devant elle était assise une femme à la coiffure façon « choucroute ». Il suffit à Sylvie de s'affaisser un peu sur son siège pour que sa crinière blonde le lui cache. Et, pour ne pas se laisser charmer par sa voix si chère, elle se concentra sur d'autres choses : son futur travail, Rose et le secret qu'elle avait gardé si longtemps…

Elle avait encore du mal à croire que Rose était actionnaire de Colette. Que Rose était une Colette. Elle sourit malgré sa tristesse en se rappelant les difficultés financières dont elle l'avait crue victime. En réalité, Rose pourrait sans doute acquérir plusieurs petites entreprises si elle le désirait. Mais, connaissant Rose, elle devait redistribuer une grande partie de ses revenus à des œuvres de bienfaisance.

Sylvie se figea. Bien sûr ! C'était exactement ce que Rose avait fait. L'une de ses œuvres de bienfaisance s'appelait Sylvie Bennett. Cette découverte apaisa un moment sa tristesse. Ce n'était pas par hasard qu'elle avait obtenu une bourse pour ses études universitaires ni un poste chez Colette avant même d'avoir passé son diplôme. Ni un loyer très abordable qui permettait à de nombreuses jeunes femmes aux revenus modestes d'habiter dans la belle maison d'Amber Street. Décidément, songea-t-elle avec tendresse, cela ressemblait fort à une subvention… Quelle merveilleuse femme que Rose, malgré la douleur qu'elle avait dû ressentir quand ses parents l'avaient rejetée !

La réunion s'acheva un peu avant 17 heures. Dès la fin de l'allocution de Marcus, un mouvement de foule se fit vers l'avant de la salle comme de nombreux employés enthousiastes s'approchaient pour parler avec lui ou avec Rose.

— A ce soir, au dîner, dit Sylvie à Meredith.

Celle-ci fronça les sourcils.

— J'ai entendu dire que tu avais démissionné. Je ne voulais pas le croire, mais c'est vrai, alors ?

Elle hocha la tête en guise de réponse.

— Pourquoi ? Je croyais que Marcus et toi…

Elle s'interrompit quand Sylvie leva une main pour la faire taire.

— Arrête. S'il te plaît… arrête.

Et, sans laisser à son amie le temps de répondre, elle quitta la salle.

— Merci, murmura Sylvie. Merci pour tout.

— Merci à toi, ma chérie, répondit Rose en lui tapotant doucement le dos. L'un de mes plus grands regrets est que Mitch et moi n'ayons jamais eu d'enfant. Depuis que nous

166

nous sommes trouvées, toi et moi, j'ai appris que la biologie ne joue qu'un tout petit rôle dans l'amour que l'on porte à un enfant. Te regarder grandir et t'épanouir a été l'une des plus grandes joies de ma vie.

Sylvie essaya de répondre mais en fut incapable. Elle porta la main à ses lèvres. Elle avait peur d'éclater en sanglots comme un enfant. Finalement, Rose lui passa tendrement un bras autour des épaules et l'entraîna dans la salle à manger.

— Viens rejoindre les autres. Nous aurons tout le temps de parler après, lui promit-elle.

Lila, Jayne et Meredith qui se trouvaient déjà dans la pièce se turent quand elles entrèrent.

— Je parie que vous n'étiez pas en train de parler de la pluie et du beau temps, devina Sylvie en s'efforçant d'adopter un ton léger.

Lila piqua un fard et Meredith afficha un air penaud. Mais Jayne lui sourit.

— Nous nous répétions tout ce que nous avons entendu sur ton compte, expliqua-t-elle. Comme tu n'as rien dit à personne, nous en sommes réduites à échanger des rumeurs.

Cette franche déclaration détendit aussitôt l'atmosphère et toutes cinq éclatèrent de rire.

— Je vous promets de tout vous expliquer, dit Sylvie avant de se tourner vers Rose qui s'était assise à côté d'elle. Mais, pour l'instant, je n'ai qu'une envie : entendre la véritable histoire de Rose *Colette* Carson.

— Moi aussi, renchérit Meredith en levant son verre de vin.

Sylvie se détendit. Elle ne souhaitait pas revenir sur les événements qui l'avaient poussée à accepter un emploi en Californie. Ce nouveau poste ne lui inspirait aucun enthousiasme et elle craignait que cela se voie. Avec un peu de chance, elle s'en tirerait sans avoir besoin de rien dire ce soir.

En se mettant à table, elles admirèrent l'arbre de Noël de Rose qui était orné de décorations anciennes en forme de fruits.

— Elles sont dans ma famille depuis des générations, leur expliqua-t-elle.

Tout en dînant, elle leur raconta son enfance de fille unique plongée dans l'univers de la joaillerie familiale.

— Il a toujours été admis que, un jour, l'entreprise serait à moi. Pourtant, j'étais une enfant plutôt… hm… difficile. Je ne me rendais pas toujours compte de la chance que j'avais. Mais j'ai fini par m'assagir. Et je suis entrée dans l'entreprise par la petite porte, tout en bas de l'échelle, comme le souhaitait mon père. J'ai progressé petit à petit. Peu de temps après être entrée à la création, j'ai dessiné une broche faite d'ambre et de plusieurs métaux précieux…

— *Notre* broche ? s'écria Lila, incrédule.

— Exactement, confirma Rose avec un bref sourire. Mais mon père ne l'a pas aimée du tout. Il la trouvait trop différente du style habituel de Colette. Le designer en chef s'est montré plus gentil. Il m'a dit que mon travail était « en avance sur son temps » ; je ne sais pas trop ce que cela signifiait. J'ai tenu tête à mon père et nous avons eu une violente dispute. Je me retrouvais soudain dans la peau de la petite fille rebelle qui ne faisait que décevoir ses parents et n'était jamais à la hauteur de ce qu'ils attendaient d'elle. Je suis sortie de son bureau en claquant la porte et j'allais rentrer chez moi quand je me suis cognée dans un jeune homme qui venait d'être embauché chez Colette, aux Ventes.

Elle sourit et son visage rayonna d'une nouvelle jeunesse. Sylvie devina qu'elle avait dû être d'une beauté exceptionnelle, trente ans plus tôt.

— Je lui suis littéralement rentrée dedans en sortant du bureau, se souvint Rose. A vrai dire, nous sommes même tombés tous les deux.

— Ça a été le coup de foudre ? voulut savoir Meredith.

Rose hocha la tête et son air rêveur ne leur laissa aucun doute.

— Oh, oui, confirma-t-elle. Il s'appelait Mitch Carson. La première chose qu'il a faite en m'aidant à me relever fut de me complimenter sur la superbe broche que je portais. J'ai tout de suite su qu'un homme qui reconnaissait la valeur de ma création ne pouvait qu'être exceptionnel. En outre, ajouta-t-elle en souriant, c'était l'homme le plus sexy que j'aie jamais vu. J'avais envie de me jeter dans ses bras et de le supplier de m'embrasser !

— Comme c'est romantique, dit Lila dans un soupir.

Jayne ricana.

— Je veux dire : c'est romantique qu'il ait tout de suite reconnu la qualité de la broche, expliqua Lila en lui tirant la langue.

— C'était un homme très romantique, assura Rose en contemplant le diamant qu'elle portait toujours au doigt. Mais il ne plaisait pas à mes parents. Il m'encourageait à dessiner des bijoux originaux. Il m'emmenait danser, faire de la voile… Nous allions aux courses, ce que mes parents réprouvaient.

— Mais pourquoi ? demanda Sylvie qui chérissait le souvenir des moments qu'elle avait passés à danser dans les bras de Marcus et qu'elle se rappellerait toute sa vie.

— Je crois qu'ils avaient peur que je puisse trop m'amuser. Ils étaient assez collet monté et vieux jeu.

— J'ai peine à le croire, dit Jayne. Vous n'êtes pas du tout comme cela.

— C'est Mitch qu'il faut remercier, lui apprit Rose. Mes parents ont menacé de me déshériter si je poursuivais ma relation avec lui. Mais je savais que, si je les écoutais, je finirais comme eux : une conservatrice grognon qui passerait son temps à juger les autres. Alors Mitch et moi nous sommes enfuis. Quand mon père l'a découvert, il a renouvelé ses menaces de me déshériter. Nous nous sommes installés en Californie et je n'ai plus jamais eu de ses nouvelles. Cependant, ma mère m'a dit des années plus tard qu'il regrettait d'avoir perdu contact avec moi. Mais il était trop orgueilleux pour admettre qu'il s'était trompé, conclut-elle en secouant tristement la tête.

— Alors… qu'est-ce qui vous a ramenée à Youngsville ? s'enquit Meredith.

Rose prit une profonde inspiration.

— Mitch et moi avons vécu près de trente merveilleuses années ensemble. La seule chose qui aurait pu nous rendre plus heureux aurait été d'avoir un enfant. Mais cela n'est jamais arrivé. Et Mitch a été tué dans un accident juste avant son cinquantième anniversaire.

Un lourd silence envahit la pièce. Sylvie glissa sa chaise plus près de celle de Rose qu'elle enlaça d'un bras protecteur.

— Nous sommes sincèrement désolées, murmura-t-elle.

Rose leva vers elle des yeux brillant de larmes.

— Pas moi. Pas moi, répéta-t-elle. Mitch et moi nous sommes aimés si fort… Je ne voudrais pas modifier un seul jour de notre vie commune.

Lila pleurait. Jayne sortit un paquet de mouchoirs en papier de son sac et le fit circuler.

— Alors vous êtes revenue quand vous vous êtes trouvée veuve ?

— Pas tout de suite. Je suis restée en Californie quelques années. Mais, quand mon père a succombé à une crise cardiaque, ma mère m'a suppliée de revenir pour reprendre Colette. C'était une femme simple qui n'avait jamais travaillé et s'était

170

satisfaite toute sa vie de son rôle de femme au foyer. Mon père la dominait intellectuellement et elle ne connaissait rien aux affaires. Je n'ai pas pu lui refuser, mais je ne suis pas allée jusqu'à m'impliquer dans l'entreprise. Je me suis contentée de gérer les actions de la famille et de voter.

— Et vous avez acheté cette maison que vous avez nommée d'après votre magnifique broche, ajouta Sylvie.

— Exactement, confirma Rose en lui tapotant affectueusement le genou.

— Alors comment Marcus s'y est-il pris pour vous convaincre de vous occuper de nouveau de Colette ? voulut savoir Jayne.

Sylvie s'efforça de ne pas broncher. Meredith lui jeta un regard oblique qu'elle fit semblant de ne pas remarquer.

— Une des raisons de ma brouille avec mon père était son obsession du luxe, expliqua Rose. Alors, quand Marcus m'a proposé de rendre Colette plus abordable, vous imaginez combien son idée m'a séduite. Et puis, ajouta-t-elle avec un grand sourire, il n'est pas du genre à accepter un refus.

Un silence un peu étrange salua cette remarque.

— Allons, se hâta de déclarer Rose, j'ai des cadeaux de Noël pour vous, les filles !

— Mais enfin, Rose, protesta Sylvie, je n'ai pas descendu les miens.

— Moi non plus, dit Meredith.

— Ce n'est pas grave, assura Rose en s'approchant du secrétaire ancien. Il s'agit de quelque chose d'un peu particulier. Je ne voulais pas attendre.

Elle revint à table et leur donna à chacune une grande enveloppe ornée de rubans argent et rouge.

— Qu'est-ce que c'est ? demanda Lila très surprise.

— Moi, je n'ai pas peur, dit Sylvie. Je vais ouvrir la mienne.

Les trois autres l'imitèrent et le silence se fit pendant qu'elles lisaient les papiers qu'elles avaient sortis des enveloppes. L'atmosphère devint presque électrique à mesure qu'elles comprenaient ce qu'elles voyaient.

— Rose ! s'écria Sylvie en se levant d'un bond. Vous ne pouvez pas faire cela !

— Bien sûr que si, assura Rose en souriant de leur stupéfaction. Quel besoin ai-je des actions de Colette, aujourd'hui ? Je vous donne donc à chacune douze pour cent de l'entreprise.

— Mais enfin, Rose, protesta Jayne, il s'agit de votre héritage. Nous ne pouvons pas accepter.

— D'autant que c'est votre source de revenus, renchérit Jayne avec son sens pratique habituel.

— J'ai reçu assez de dividendes ces dernières années pour mener une vie agréable jusqu'à la fin de mes jours, affirma Rose. Quant à mon héritage… Je suis la dernière Colette vivante. J'ai vu combien vous teniez à cette entreprise toutes les quatre et le mal que vous vous êtes donné pour la sauver. Chacune de vous m'est devenue très chère. Vous êtes un peu les filles que j'aurais tant voulu avoir. Alors j'espère que vous accepterez ce cadeau, parce que je vous aime.

Elles se levèrent ensemble et s'approchèrent de Rose. Elles s'embrassèrent toutes avec tant d'émotion que Sylvie se demanda comment elle pourrait quitter Youngsville et tous ces gens qu'elle aimait tant, après cela…

Elle poussa un petit cri de surprise en portant la main à son cœur. Marcus était assis sur le canapé du salon.

— Comment es-tu entré ? demanda-t-elle. Tu m'as fait une de ces peurs !

— Rose m'a donné sa clé, répondit-il en la regardant sans se lever.

Rose lui avait donné une clé ? Mais pourquoi Rose… ?

— J'imagine qu'elle a dû penser que nous avions des choses à nous dire, ajouta-t-il comme s'il lisait dans ses pensées.

Le cœur de Sylvie battait si fort qu'elle craignait qu'il ne l'entende. Les mains tremblantes, elle posa le cadeau de Rose sur la table et croisa les bras.

— Rose s'est trompée, articula-t-elle avec calme. Nous n'avons rien à nous dire. Tu as fait quelque chose de très bien, aujourd'hui, et je t'en remercie, comme je suis sûre que tous ceux qui ont assisté à la réunion l'ont déjà fait. Mais…

— Pourquoi ? l'interrompit-il.

Elle le regardait, encore surprise de sa présence.

— Pourquoi quoi ?

— Pourquoi j'ai fait cela ? demanda-t-il en se levant et en s'approchant d'elle à pas lents et mesurés. Pourquoi ai-je décidé de garder Colette et même de développer la société ?

— Je ne sais pas, concéda-t-elle avec une irritation contenue. Pourquoi fais-tu tout ce que tu fais ? Ce n'est certainement pas moi qui vais te demander la raison.

— Et si je te disais que c'était toi ? dit-il doucement.

Sylvie rassembla toute la patience dont elle était capable. Elle était au bord des larmes. Pourquoi ne fichait-il pas le camp ? Pourquoi ne la laissait-il pas souffrir en paix ?

— Je ne me sens pas capable de soutenir ce genre de conversation détournée. Ecoute, Marcus, je ne sais pas pourquoi tu es là. Mais je t'en prie, ne pourrions-nous pas laisser mourir ce qu'il y a eu entre nous de bonne grâce ? Je ne sais pas bien rompre, renouer, rompre, renouer et…

— Ce n'est pas moi qui ai rompu, cette fois.

Et, pour la première fois, elle décela dans sa voix une note de lassitude qui ressemblait presque à de la douleur.

— D'ailleurs, poursuivit-il, je ne sais pas pourquoi tu l'as fait. Pourquoi as-tu décidé d'aller en Californie ?

— J'ai reçu une offre qui ne se refuse pas.

— Je t'en ferai une encore meilleure.

C'était la goutte d'eau qui fait déborder le vase.

— Je ne veux pas d'offre de ta part ! s'écria-t-il d'une voix qui se brisa. Je ne veux rien de toi. Va-t'en. Laisse-moi tranquille.

— Pas question.

Il la prit par les bras et l'attira contre lui.

— Tu ne te débarrasseras pas de moi avant une bonne cinquantaine d'années, précisa-t-il.

Alors, Sylvie se laissa aller contre sa poitrine et fondit en larmes.

Le cœur de Marcus se serra douloureusement. Il n'avait jamais eu l'intention de la faire souffrir. Sylvie était intrépide et fougueuse. Pour qu'elle s'effondre à ce point, il avait dû lui faire vraiment mal.

Doucement, précautionneusement, il la prit dans ses bras et la porta jusqu'au canapé. Il s'assit, l'installa sur ses genoux et se mit à la bercer comme une enfant.

— Ma chérie, chuchota-t-il, je t'en supplie, ne pleure pas. Dis-moi comment je t'ai blessée, que je puisse réparer.

Il savait qu'il devait lui sembler désespéré, mais peu lui importait car c'était le cas.

— Ces derniers jours, ç'a été l'enfer, reprit-il en lui caressant le dos. T'imaginer à l'autre bout du pays me rendait fou. Qu'est-ce qui t'a fait prendre cette décision ?

— Je t'ai entendu, dit-elle d'un ton accusateur étouffé par son pull dans lequel elle avait enfoui son visage. Je ne sais pas ce qui t'a fait renoncer à ton projet, mais je t'ai entendu de mes propres oreilles demander à quelqu'un d'amorcer les… documents Colette.

Elle acheva sa phrase avec une note d'hésitation qui fit deviner à Marcus qu'elle avait compris son erreur.

— C'est pour cela que tu m'as chassé de ta vie ? demanda-t-il, incrédule. Parce que tu as entendu une bribe de conversation et que tu en as tiré tes propres conclusions ?

Soudain, la colère le prit. Il avait envie de la secouer. Il la prit par les bras, la posa à côté de lui et se leva.

Mais elle s'était déjà ressaisie et se leva également avec dans le regard une lueur batailleuse qu'il connaissait bien.

— Non, ce n'est pas pour cela, même si j'admets que j'ai mal interprété ce que j'ai entendu et que c'est de là que tout est parti. Mais je ne regrette rien, Marcus. Et tu sais pourquoi ? Parce que ma décision d'accepter ce poste à San Diego ne fait qu'accélérer l'inévitable.

— Quel inévitable ?

— L'inévitable rupture, entre nous, répliqua-t-elle. La limite de l'amour que je peux éprouver pour un homme qui ne m'aime pas en retour. Alors je pars à San Diego. Et tu sais quoi ? Là-bas, je chercherai quelqu'un à aimer. Et je trouverai. Et ensuite… ensuite…, ajouta-t-elle d'une voix hachée, ensuite je t'oublierai. Je te jure que je t'oublierai.

Elle s'était remise à pleurer, ce qu'il ne put supporter.

— Non, tu ne m'oublieras pas, affirma-t-il avec plus d'assurance qu'il n'en éprouvait. Tu ne m'oublieras jamais.

Il la prit dans ses bras et la serra étroitement contre lui et plongea le regard dans ses grands yeux bruns tout en lui parlant.

— Tu ne m'oublieras pas parce que je te suivrai. Tu veux que je sois plus explicite ? Très bien. Je t'aime. *Je t'aime*, Sylvie. Et, si tu crois que je vais te laisser partir, tu te trompes. Tu vas rester là, et m'épouser.

— Je… je vais t'épouser ?

— Tu vas m'épouser.

Il la poussa jusqu'au siège le plus proche, la fit asseoir et s'agenouilla devant elle en lui prenant les mains.

— Je t'aime, Sylvie. J'ai tellement besoin de toi que cela me fait peur. Je crois que je n'ai pas osé l'admettre parce que je savais le pouvoir que cela te donnerait sur moi. Alors, maintenant, tu veux bien dire que tu vas m'épouser ?

Mais elle ne s'illumina pas de bonheur. Au contraire, elle dégagea ses mains et les croisa sur ses genoux.

— Aimer quelqu'un ne signifie pas lui donner du pouvoir sur soi, objecta-t-elle. Aimer veut dire choisir de partager son amour, sa vie, ses choix, ses décisions. Et je ne crois pas que tu en sois capable, Marcus.

— J'apprendrai. Et toi aussi, tu as des choses à apprendre.

— Lesquelles ? s'enquit-elle en fronçant les sourcils.

— Les gens qui s'aiment parviennent à surmonter leurs désaccords et leurs difficultés de communication. Ils ne baissent pas les bras, ils ne s'enfuient pas au moindre problème.

Voyant qu'elle allait l'interrompre, il lui posa un doigt sur les lèvres avant de poursuivre.

— Je sais que tu n'as pas eu de modèle pour t'apprendre ce qu'était le mariage quand tu étais petite, mais tu vois Wil et Maeve. Leur arrive-t-il de se disputer ?

— Et comment ! Mais toi non plus, on ne peut pas dire que tu aies eu un excellent modèle, observa-t-elle. Alors si nous échouions ?

— Je veux vivre ce que vivent tes amis, lui expliqua-t-il. Mon père a laissé son orgueil gâcher son mariage et toute sa vie. Je te promets que cela ne m'arrivera jamais. Que cela ne *nous* arrivera jamais.

Il se risqua à lui reprendre la main.

— J'ai quelque chose à te donner, lui dit-il. Et c'est encore mieux approprié après cette conversation.

Il tendit la main vers la table basse et prit l'enveloppe qu'il y avait déposée en arrivant.

— Considère cela comme un premier cadeau de mariage, suggéra-t-il en la lui donnant.

Elle regardait tour à tour Marcus et l'enveloppe d'un air méfiant. Elle la prit et en retira le document qu'elle contenait. A mesure qu'elle lisait, elle écarquillait les yeux de surprise.

— Mais c'est la moitié de tes actions de Colette ! Je ne peux pas accepter.

— Oh, que si, assura-t-il en souriant de sa stupéfaction. Maintenant, nous détenons chacun vingt-six pour cent. Ce qui signifie que nous devons nous entendre avec Rose pour prendre les bonnes décisions pour l'entreprise.

Elle voulut lui rendre la liasse de papiers.

— Non, ce n'est plus vrai. Rose vient de me donner un quart de ses parts — soit douze pour cent de la société — comme cadeau de Noël. Elle a également distribué le reste. Ce que tu veux me donner ferait de moi l'actionnaire majoritaire ! Tu ferais bien d'y regarder à deux fois…

Marcus fut pris d'un fou rire. Que de problèmes ces fichues actions de Colette avaient causé entre Sylvie et lui !

— Comme cela, tu pourras m'évincer si tu le souhaites. Mais j'espère que tu choisiras plutôt de m'épouser, ajouta-t-il en recouvrant son sérieux. Je veux que nous passions toute notre vie ensemble.

Sylvie parut de nouveau au bord des larmes.

— Rose dit que tu n'es pas du genre à accepter un refus, alors je ferais aussi bien de dire oui tout de suite.

Un immense bonheur envahit Marcus.

— Il est plus que temps ! s'exclama-t-il en sortant de sa poche un petit écrin de velours frappé du logo de Colette. Et voilà ton second cadeau. Je veux que tu la passes à ton doigt avant de te remettre en colère après moi.

— Il se peut que je me remette en colère après toi, mais je te promets de ne plus jamais m'enfuir. Il faudra que nous surmontions nos problèmes.

Quand elle souleva le couvercle de la petite boîte, elle poussa un cri de surprise.

— Mais c'est une bague de la collection « Eternelle » ! J'ai participé à la réalisation de la campagne de promotion.

— Ce choix m'a semblé approprié puisque c'est grâce à Colette que nous nous sommes rencontrés.

— C'est merveilleux ! s'écria-t-elle en passant l'anneau à son annulaire gauche. Je n'aurais jamais cru que je porterais un jour une bague de fiançailles de chez Colette.

— A propos, je me suis dit que nous pourrions renommer l'entreprise Grey & Colette.

Les yeux humides, Sylvie se glissa dans les bras de Marcus, qui sentit lui aussi la brûlure des larmes. Il était passé si près de la perdre... Trop près.

— Je t'aime, lui redit-il.

— Moi aussi, je t'aime, répondit-elle aussitôt avec ferveur. Il n'y a qu'un petit problème, murmura-t-elle.

— Lequel ?

Marcus n'était pas inquiet. Il n'existait aucun problème qu'ils ne pussent surmonter ensemble.

— Il vaudrait mieux que ce soit Colette & Grey.

Épilogue

Sylvie ne s'était jamais vraiment autorisée à rêver d'un mariage avant de rencontrer Marcus. Mais, quand elle se mit à l'organisation, ce fut avec une énergie redoublée. Elle décida que le mois de juin était idéal.

Dans l'Indiana, c'était un mois superbe aux journées douces et aux soirées fraîches, avec un taux d'humidité assez faible. La brise du lac faisait danser les fleurs printanières mais le ciel demeurait presque constamment d'un bleu superbe.

Le jour du mariage de Sylvie et Marcus ne fit pas exception à ce beau temps. Ils avaient pris un petit risque en choisissant d'organiser la réception dehors, sur la terrasse du Country Club, mais la chance avait été de leur côté. Les femmes en robe d'été fluide et les hommes qui avaient depuis longtemps ôté leur veste évoluaient au son des accords de l'orchestre — celui-là même qui jouait lors du premier rendez-vous de Marcus et Sylvie. Vêtues des robes bleu vif que Sylvie avait choisies pour ses témoins, Meredith, Lila et Jayne se détachaient de la foule des autres invités. Chacune d'elles dansait avec l'homme qu'elle aimait et semblait nager dans le bonheur.

Sylvie regarda autour d'elle, à la recherche de son mari. Son cœur se gonfla d'émotion quand elle le découvrit age-nouillé auprès du fauteuil roulant de Maeve, une main sur la sienne. Tous deux riaient de bon cœur, comme s'ils venaient d'échanger une bonne plaisanterie. Il leva les yeux et son regard croisa celui de Sylvie. Il lui adressa un sourire complice et, après avoir dit un dernier mot à Maeve, se leva et vint la rejoindre.

— Tu t'amuses bien ? lui murmura-t-il à l'oreille.

Il l'entraîna à l'écart du groupe de femmes avec qui elle bavardait et prit un canapé sur le plateau d'une serveuse pour le lui offrir.

— Oui, répondit-elle, énormément. N'est-ce pas merveilleux de voir tous nos amis réunis ici ?

— Si, confirma-t-il en hochant la tête. D'autant qu'ils sont là pour témoigner du fait que j'ai enfin réussi à faire de toi Mme Marcus Grey.

— Sylvie Grey. Sylvie Bennett-Grey, suggéra-t-elle. Sylvie Grey-Bennett.

— Grey, répliqua Marcus. Je suis du genre traditionnel.

— Je plaisantais, expliqua-t-elle en riant. C'est si facile de te faire marcher !

En souriant, il l'enlaça pour l'embrasser dans le cou.

— Toi, il va falloir que je t'aie à l'œil…

— Allons, les amoureux, leur dit alors Rose affectueusement, le moment est venu de couper le gâteau. Il faudra garder les câlins pour plus tard.

— J'ai hâte d'être à plus tard…, murmura Marcus à l'oreille de Sylvie tandis qu'ils suivaient leur chère amie qui l'avait conduite à l'autel.

Sylvie frémit d'impatience. Six mois après leur première fois, ils faisaient encore l'amour avec la fraîcheur et l'émerveillement du tout début. Et peut-être mieux encore depuis qu'elle savait qu'il l'aimait.

Une petite agitation près de la table du gâteau attira son attention. Nick aidait Lila à s'asseoir. Elle était toute pâle et semblait malade. Mais, le temps que Sylvie arrive, elle sirotait un jus de fruits, veillée par l'œil d'aigle de Nick.

— Ça va ? demanda Sylvie à son amie.

Lila sourit et se tourna vers son mari avec qui elle échangea un regard si intime que Sylvie se sentit presque indiscrète d'en être le témoin.

— Oui, très bien, assura-t-elle au petit groupe qui s'était formé autour d'elle.

— Tu n'en as pas l'air, observa Jayne. On dirait que tu as la grippe ou je ne sais pas quoi.

— Ce serait plutôt « Je ne sais pas quoi », repartit Lila en souriant. Je ne voulais pas annoncer cela le jour de ton mariage, expliqua-t-elle à Sylvie comme pour s'excuser, mais… mais ce que j'ai dure neuf mois et…

— Lila ! s'écria Rose les larmes aux yeux en se précipitant pour l'embrasser. Vous êtes enceinte ?

— Exactement, confirma Nick fièrement.

— C'est pour quand ?

— Vous aurez votre premier petit-enfant adoptif pour Noël, promit Lila en prenant la main de leur amie. Alors je vous préviens que vous n'avez pas intérêt à vous absenter pendant les fêtes de fin d'année ! ajouta-t-elle à la ronde.

— Quel merveilleux cadeau de mariage ! lui dit Sylvie. Je suis si heureuse que tu nous aies annoncé la nouvelle aujourd'hui !

Une fois le gâteau coupé, l'orchestre se remit à jouer et les danseurs envahirent bientôt la piste. Sylvie fit une pause au bout d'une demi-heure et alla retrouver Lila qui se reposait assise à une table. Meredith et Jayne les rejoignirent bientôt. Elles posèrent quelques questions à Lila sur sa grossesse.

— Adam et moi espérons fonder une famille très bientôt, annonça alors Meredith d'un air rêveur. J'ai tellement hâte de tenir notre premier enfant dans mes bras !

— Je parie que Noël te semble encore à des années-lumière, Lila, observa Jayne.

L'intéressée acquiesça d'un signe de tête.

— Je voudrais que ce soit demain, ajouta-t-elle. Mais qui est le beau prince charmant qui danse avec Rose ? demanda-t-elle en désignant la piste.

Sylvie et les deux autres se tournèrent dans la direction qu'elle indiquait. Un homme grand et élégant aux cheveux argentés qu'elle reconnut aussitôt l'enlaçait assez étroitement.

— Mais c'est Ken Vance ! s'écria-t-elle. Le directeur de l'Ingalls Park Theatre.

— Un de tes amis ? s'enquit Jayne.

— Un ami de Marcus. Un homme absolument charmant. A vrai dire, il s'entendrait parfaitement avec Rose…

— En tout cas, ils ont l'air de sympathiser, pour l'instant, commenta Jayne avec un petit rire.

Rose et Ken semblaient totalement captivés l'un par l'autre. Tandis que les quatre amies les regardaient, ils se serrèrent encore un peu l'un contre l'autre et, les yeux fermés, se laissèrent porter par la musique.

— Oh ! Mais Rose porte la broche, n'est-ce pas ? découvrit Meredith.

— Elle l'a portée à chacun de nos mariages, affirma Lila.

— Eh bien, annonça Jayne en se frottant les mains, on dirait que voilà venue la fin de sa solitude.

Ce qui fit sourire tout le monde — y compris les époux qui les avaient rejointes juste à temps pour entendre la fin de la conversation.

Marcus prit Sylvie dans ses bras.

— Vous croyez vraiment que cette petite épingle à quelque chose à voir avec…

Les quatre amies le firent taire d'un regard.

— Pas toi ? lui demanda Nick en désignant les couples qu'ils formaient tous.

Marcus se tourna vers Ken et Rose. Il hocha lentement la tête.

— Tout compte fait, je suis en train de rejoindre ceux qui croient en cette broche…

COLLECTION

Coup de folie

Quand l'humour fait pétiller l'amour

1 roman par mois, le 15 de chaque mois

Dès le 15 juillet, un nouveau
Coup de Folie vous attend

Tête-à-tête amoureux, par Jennifer Drews - n° 13

Kim n'a qu'une idée en tête : gagner au plus vite Phoenix, où sa sœur l'attend. Oui, mais voilà, quand le destin s'en mêle, un simple voyage peut devenir une véritable épopée ! Et pour Kim, les ennuis commencent à l'aéroport, quand sa valise remplie de sous-vêtements a la très mauvaise idée de répandre son contenu sur le sol... C'est précisément à ce moment-là qu'elle rencontre Rick, un séduisant voyageur qui, bon gré, mal gré, devient son nouveau compagnon de voyage... et de fortune !

Le nouveau visage
de la collection Or

◆

AMOURS D'AUJOURD'HUI

Afin de mieux exprimer sa modernité et de vous séduire encore davantage, votre collection Or a changé de couverture et de nom depuis le 1er mars 1995.

Rassurez-vous, les romans, eux, ne changent pas, et vous pourrez retrouver dans la collection **Amours d'Aujourd'hui** tous vos auteurs préférés.

Comme chaque mois, en effet, vous y attendent des héros d'aujourd'hui, aux prises avec des passions fortes et des situations difficiles...

**COLLECTION
AMOURS D'AUJOURD'HUI :**
Quand l'amour guérit des blessures de la vie...

Chère lectrice,

Vous nous êtes fidèle depuis longtemps?
Vous venez de faire notre connaissance?

C'est pour votre plaisir que nous avons
imaginé un rendez-vous chaque mois
avec vos auteurs préférés, vos
AUTEURS VEDETTE dans les
collections Azur et Horizon.

Les AUTEURS VEDETTE vous
donneront rendez-vous pour de
nouveaux livres vedette.

Pour les reconnaître, cherchez
l'étoile... Elle vous guidera!

Éditions Harlequin

HARLEQUIN

LE FORUM DES LECTEURS ET LECTRICES

CHERS(ES) LECTEURS ET LECTRICES,

VOUS NOUS ETES FIDÈLES DEPUIS LONGTEMPS?

VOUS VENEZ DE FAIRE NOTRE CONNAISSANCE?

SI VOUS AVEZ DES COMMENTAIRES, DES CRITIQUES À FORMULER, DES SUGGESTIONS À OFFRIR, N'HÉSITEZ PAS… ÉCRIVEZ-NOUS À:
LES ENTERPRISES HARLEQUIN LTÉE.
498 RUE ODILE
FABREVILLE, LAVAL, QUÉBEC.
H7R 5X1

C'EST AVEC VOS PRÉCIEUX COMMENTAIRES QUE NOUS ALLONS POUVOIR MIEUX VOUS SERVIR.

DE PLUS, SI VOUS DÉSIREZ RECEVOIR UNE OU PLUSIEURS DE VOS SÉRIES HARLEQUIN PRÉFÉRÉE(S) À VOTRE DOMICILE, NE TARDEZ PAS À CONTACTER LE SERVICE D'ABONNEMENT; EN APPELANT AU (514) 875-4444 (RÉGION DE MONTRÉAL) OU 1-800-667-4444 (EXTÉRIEUR DE MONTRÉAL) OU TÉLÉCOPIEUR (514) 523-4444 OU COURRIER ELECTRONIQUE: AQCOURRIER@ABONNEMENT.QC.CA OU EN ÉCRIVANT À:
ABONNEMENT QUÉBEC
525 RUE LOUIS-PASTEUR
BOUCHERVILLE, QUÉBEC
J4B 8E7

MERCI, À L'AVANCE, DE VOTRE COOPÉRATION.

BONNE LECTURE.

HARLEQUIN.

VOTRE PASSEPORT POUR LE MONDE DE L'AMOUR.

COLLECTION
HORIZON

Des histoires d'amour romantiques qui
vous mènent au bout du monde!

Découvrez la passion et les vives
émotions qu'apportent à la Collection
Horizon des auteurs de renommée
internationale!

Captivantes, voire irrésistibles, ces
histoires d'amour vous iront
assurément droit au coeur.

Surveillez nos quatre nouveaux titres
chaque mois!

GEN-H

La COLLECTION AZUR

Offre une lecture rapide et

- ☑ stimulante
- ☑ poignante
- ☑ exotique
- ☑ contemporaine
- ☑ romantique
- ☑ passionnée
- ☑ sensationnelle!

COLLECTION AZUR...des histoires d'amour traditionnelles qui vous mènent au bout du monde! Six nouveaux titres chaque mois.

GEN-AZ

L'ASTROLOGIE EN DIRECT
TOUT AU LONG
DE L'ANNÉE.

(France métropolitaine uniquement)
Par téléphone 08.36.68.41.01
0,34 € la minute (Serveur SCESI).

Composé et édité
PAR LES ÉDITIONS HARLEQUIN
Achevé d'imprimer en juin 2003

BUSSIÈRE
GROUPE CPI

à Saint-Amand-Montrond (Cher)
Dépôt légal : juillet 2003
N° d'imprimeur : 33159 — N° d'éditeur : 9990

Imprimé en France